MW00627492

# Historia de Cuba

*Una guía fascinante de la historia de Cuba, desde la llegada de Cristóbal Colón a Fidel Castro*

# Tabla de contenidos

# Introducción

No temáis una muerte gloriosa,

*que morir por la patria es vivir.*

*[...]*

*Del clarín escuchad el sonido.*

*¡A las armas, valientes, corred!*

La letra de «La Bayamesa», el himno nacional de Cuba, resuena con tantas cualidades del pueblo cubano, como se ha demostrado una y otra vez durante su larga, sangrienta y valiente historia. La valentía, la unidad y la pasión son algunas de ellas; Cuba se ha enfrentado a la muerte a lo largo de su rocosa historia y la mayoría de las veces le ha mirado a los ojos y ha sonreído.

Los temas de la historia de Cuba son tan extensos como inspiradores. Una y otra vez, los opresores han intentado apoderarse de esta isla y sus riquezas para sus propios intereses egoístas. Y una y otra vez, han surgido revoluciones para vencer en el intento de devolver Cuba a su gente.

Esto comenzó a principios del siglo XVI, cuando los conquistadores españoles vinieron a matar a los pacíficos taínos. Un cacique taíno llamado Hatuey se levantó contra ellos y, aunque su defensa fracasó finalmente, desafió a los españoles hasta el final, incluso cuando lo quemaron en la hoguera. En el siglo XVIII, un oficial español llamado Luis Vicente de Velasco sufriría un destino similar mientras se enfrentaba a los británicos en una batalla que sabía que nunca ganaría, sin embargo, luchó hasta la muerte en lugar de rendirse ante las terribles hordas. Finalmente, la legión de héroes —con un hombre que hizo sonar la campana de los esclavos, no para llamar a sus esclavos a trabajar, sino para liberarlos— se levantaría durante las tres guerras de la independencia y lucharía no solo por la libertad sino por la igualdad racial. Llevaría generaciones, pero, con el tiempo, estos héroes se quitarían las cadenas y ganarían.

Finalmente, el famoso Fidel Castro ascendería al poder en una valiente lucha de cientos contra cientos de miles, en una victoria improbable que se luchó y ganó duramente. Él convertiría Cuba de un país llamado colonia estadounidense, en un país aliado con uno de los enemigos más aterradores de los Estados Unidos durante la Guerra Fría.

La historia de Cuba es una historia de valentía y sacrificio, de opresión horrorosa y visión inspiradora. Es una historia sobre la explotación y la esperanza, sobre una pequeña isla que alcanzó una gran importancia a nivel mundial. Hay batallas y naufragios, piratas e indios, sacrificios trágicos y triunfos aplastantes. El pueblo cubano muestra una y otra vez su resistencia, valentía y pasión frente a increíbles adversidades. Es un pueblo al que no se puede dejar de admirar. Y esta es su historia.

# Capítulo 1. Cuba antes de Colón

Atabey fue antes de todas las cosas y todas las cosas se crearon por Atabey. Ella era la poderosa madre del mundo y durante siglos, no hubo ni sonido ni luz. El mundo dormía profundamente en una silenciosa oscuridad que sufría de soledad. Y Atabey, al moverse por el universo dormido, sentía esa soledad con una aguda agonía.

Finalmente, se dio cuenta de que lo que le faltaba era vida que no era solo la suya. Así que llegó a las profundidades del universo y tomó elementos mágicos, invisibles y místicos en sus manos. A continuación, los entretejió para crear seres vivos distintos a ella. Los llamó sus hijos; nacieron al mismo tiempo unos gemelos perfectos, ninguno más mayor que el otro. Los llamó Yúcahu y Guácar y la madre de la tierra ya no se sentía sola.

Pero Yúcahu sentía que todavía faltaba algo. Buscó y buscó a través del oscuro e inmóvil mundo y no pudo hallar aquello que pudiera sofocar el anhelo de su corazón. Así que se puso de pie sobre la tierra, creó el sol ardiente y el sol trajo la luz. La luz se extendió por todo el mundo y, dondequiera que llegaba, traía vida. Yúcahu creó la luna, pero su luz era demasiado débil para iluminar la noche, así que recogió montones de piedras preciosas y las arrojó al cielo; estas brillaban donde se clavaban y él las llamó estrellas.

La luz del sol y de la luna impulsó a la tierra a producir hierba, árboles y todas las cosas verdes. Entonces Yúcahu creó animales y pájaros para poblar la tierra y el mar. Aparecieron por todo el mundo, trajeron ruido a la tierra y hubo vida. Pero aun así no era suficiente para él. Faltaba una última pieza. Una última creación que haría del mundo todo lo que Yúcahu quería que fuera. No se trataba de un animal ni de un dios. Estaba a mitad de camino entre ambos y Yúcahu lo llamó Lócuo. Él era el primer hombre.

Él era el primer alma.

## El mito de la creación taíno

Hace miles de años, mientras vivían en cuevas y se abrían paso por el mundo con herramientas hechas de conchas, los guanajatabeyes habitaban una isla que más tarde se conocería como Cuba. Pero en el año 3000 a. C., Cuba no tenía nombre o, si lo tenía, se había perdido junto con la lengua de los guanajatabeyes.

La historia de Cuba se inicia con la llegada de Colón. Miles de años antes de que los españoles pusieran los ojos en su idílica costa. La isla estaba poblada por complejas sociedades de pueblos indígenas.

## Los primeros cubanos

La mayor parte de la cultura guanajatabeya se ha perdido en las brumas del tiempo. Lo poco que sabemos de ellos proviene de breves fragmentos de los informes de los exploradores del siglo XV y de los sitios arqueológicos, de los cuales el más antiguo es Levisa, que data de casi cinco mil años. Sabemos que estos pacíficos y primitivos pueblos tenían poco en cuanto a herramientas o agricultura. No tenían ni acero ni cerámica y usaban conchas para cortar, comer y cavar. No cultivaban nada de su propia comida. Se trataba de una tribu de pescadores y recolectores que tomaban lo que necesitaban del mundo que les rodeaba.

Al parecer, incapaces de construir casas, los guanajatabeyes a menudo dormían bajo las estrellas y buscaban refugio de los huracanes del Caribe en las cuevas. Su comida favorita eran los moluscos, complementados con pescado y fruta. No cazaban ni luchaban realmente y, cuando llegaron los taínos, no estaban nada preparados. No es del todo seguro de dónde vinieron los taínos; la cuenca del Amazonas es una posibilidad y los Andes colombianos, otra. En cualquier caso, cuando emigraron a la Cuba actual, los guanajatabeyes desaparecieron. Los taínos llegaron en gran número y trajeron todo tipo de herramientas y avances de los que los guanajatabeyes no tenían idea, como canoas, casas y lanzas. Parece que hubo poca resistencia. Los guanajatabeyes simplemente se esfumaron ante la marea taína y, no por última vez, Cuba se vio invadida por un nuevo pueblo.

## La era de los taínos

Los guanajatabeyes no tenían ninguna ventaja contra los taínos y por una buena razón. Este era un pueblo mucho más avanzado con una sociedad organizada que incluía caciques, aldeas, una religión compleja e incluso juegos de pelota.

Los taínos vivían en aldeas que consistían en pintorescas casas redondas con techos de paja conocidas como *bohíos*; los agricultores cubanos todavía construyen casas similares hoy en día. Todos los taínos vivían en estos bohíos excepto los caciques o jefes. Los caciques vivían en casas rectangulares llamadas *cañas*, que los diferenciaban de la gente común. El pueblo se dividía a su vez en nataínos, nobles que funcionaban como subcácicos, y naborías, que eran las clases bajas y realizaban la mayor parte del trabajo supervisado por los nataínos.

Los caciques también eran asistidos por los behíques, que eran los líderes espirituales y los curanderos del pueblo. Los residentes del pueblo iban a los behíques para pedir consejo o ayuda sobrenatural. Tanto los caciques como los behíques eran generalmente hombres, pero si no se encontraban herederos masculinos, las mujeres también podían convertirse en caciques; sin embargo, no hay registros de behíques femeninos. En realidad, las mujeres taínas eran bastante independientes y tenían un poder considerable en su sociedad. Incluso las mujeres casadas dormían en edificios separados de los hombres, permanecían en grupos de otras mujeres y niños; esto les daba una considerable independencia y libertad para hacer lo que quisieran la mayor parte del tiempo. Los taínos también tenían roles de género: los hombres generalmente cazaban, mientras que las mujeres cultivaban cosechas y tejían hamacas y delantales de algodón. Los niños solían recoger mariscos, lo que no era tan importante en la dieta taína como en la de los guanajatabeyes.

El alimento más importante para los taínos era la yuca. Esta raíz tuberosa fue meticulosamente cultivada, luego cosechada, rallada, exprimida de sus jugos venenosos y molida en harina. El pan de yuca resultante duraba meses, incluso en la humedad del clima caribeño. Otros cultivos fueron el algodón, el maíz, las batatas y el tabaco.

Los taínos pasaban la mayor parte del tiempo trabajando en sus campos. Eran un pueblo pacífico, con solo pequeñas escaramuzas entre los jefes vecinos. De hecho, la mayor parte del tiempo las disputas no se resolvían con batallas, sino con juegos de pelota.

Estos juegos se celebraban en pequeñas plazas planas situadas en el centro de cada pueblo. Conocido como *batú*, el juego se jugaba con una pelota de goma que rebotaba. Parece haber sido algo similar al voleibol, excepto que a los jugadores no se les permitía tocar la pelota con las manos. El juego se jugaba entre dos equipos de hasta treinta personas, a veces formados por tribus opuestas que lo usaban para resolver disputas sin recurrir a la guerra. Este uso de un juego de pelota en lugar de la batalla era típico de la naturaleza divertida y pacífica de los taínos.

Cuando las discusiones no se podían resolver con el *batú*, había que adoptar un enfoque más agresivo. La guerra taina no estaba muy organizada, ni las armas estaban hechas con mucho cuidado. Su arma preferida era un palo de madera/espada híbrida llamada *macana*, que era solo un palo de una pulgada, pero lo suficientemente afilada para ser peligrosa.

En el momento de la llegada de Colón a Cuba, la isla estaba dividida en veintinueve pequeños cacicazgos presididos por los caciques que requerían tributo del pueblo sobre el que gobernaban. Muchos de los lugares de Cuba aún conservan sus nombres taínos, como La Habana, Bayamo y Baracoa. De hecho, la palabra *Cuba* proviene de una palabra taína, aunque no está claro qué significaba exactamente la palabra; probablemente significaba *tierra fértil*.

### ¿De dónde vinieron los taínos?

Los estudiosos discuten los orígenes reales de los taínos. La teoría más probable es que vinieron del centro de la cuenca del Amazonas, tras haber migrado a lo largo de las cadenas de islas hasta llegar a Cuba, Puerto Rico y Jamaica. El contra-argumento, conocido como la teoría circum-caribeña, es que vinieron de los Andes colombianos, desde donde migraron a través de las islas y, con el tiempo, a América Central y del Sur.

Aún no se ha demostrado cuál de estas teorías es la correcta. Pero los mismos taínos tienen su propia explicación sobre sus orígenes bajo la forma de su historia de creación sobre el amor, la traición y la soledad que refleja la emoción apasionada de este pueblo olvidado y las simples cualidades prácticas que caracterizan al pueblo cubano hasta el día de hoy.

La mitología taína es rica y compleja. Adoraban a ídolos tallados en piedra y madera, que representaban a dioses y antepasados, conocidos como *zemís*. Atabey seguía siendo la mayor fuerza de su mitología, pero su benevolente presencia y la de Yúcahu se contraponía a la del dios del mal. Originalmente llamado Guácar, era el hermano gemelo de Yúcahu. Celoso de las cosas que Yúcahu había creado, Guácar se volvió malvado y cambió su nombre a Juracán. Su poder especial era el viento y los taínos lo culpaban de su único gran enemigo: los huracanes. De hecho, la palabra *huracán* se deriva del nombre de Juracán.

### Otros cubanos indígenas

Después de que los guanajatabeyes desaparecieran casi por completo, Cuba quedó poblada por los taínos y otras naciones agrupadas bajo la etiqueta de los arahuacos, que incluía a muchos pueblos indígenas de América Central, del Sur y del Caribe. Los taínos tradicionales —el subgrupo más común del pueblo taíno— vivían en toda la parte occidental de Cuba, mientras que la Cuba central estaba poblada principalmente por los siboney. Los siboney eran un grupo de personas similar a los taínos, pero no tan avanzado. Vivían en armonía con sus vecinos más sofisticados y, más tarde, también serían perseguidos junto a ellos. Ambos grupos prosperaron en el favorable clima de Cuba. Se extendieron y poblaron casi toda la isla, con un número aproximado de 350.000 personas a finales del siglo XV. Su único enemigo real eran los huracanes que siempre habían hecho estragos en las islas; aparte de esto, vivían en paz y libertad, libres de expresar su cultura única y de honrar su tradición centenaria.

Pero pronto todo eso cambiaría. Los españoles estaban a punto de llegar.

# Capítulo 2. La llegada de los españoles

Escondido detrás de una duna de arena en la playa, un joven taíno observaba con asombro cómo una canoa gigante se acercaba cada vez más desde el horizonte. Cuando emergió como una mera mancha en el mar, el joven se preguntaba si esto podía ser un monstruo marino. A medida que se acercaba y veía que era una nave, se agachó, dispuesto a correr de vuelta a la aldea para dar la alarma: los únicos que venían del mar eran los caribes merodeadores, sirvientes del Juracán que solo buscaban matar, saquear y esclavizar. Pero algo lo mantuvo observando mientras que la gran canoa se acercaba y se hizo evidente que este no era un grupo de asalto caribeño. Esta canoa no se parecía a nada que hubiera visto antes. No estaba remada, sino que parecía avanzar por sí misma. Tenía una especie de grandes alas blancas que se extendían en el viento, pero no volaba. En su lugar, se deslizaba por el agua hacia la isla, rápida, poderosa y enorme. El joven sabía que la canoa del jefe, la más grande de la aldea, podía llevar a 50 personas. Pero esta estaba a una escala que apenas podía comprender. Cientos debían de caber en ella. Toda su aldea podía caber en ella.

La gran canoa se acercó y, por primera vez, el joven pudo ver a sus ocupantes. Durante mucho tiempo, solo se quedó mirando con asombro. Nunca había visto nada como ellos antes. Llevaban extraños paños sobre sus cuerpos, que les cubrían casi por completo los brazos y las piernas; su pelo no era largo y áspero como el suyo, sino muy corto y rizado. Y la piel. Era tan pálida como la luna, mucho más pálida que la suya.

Una esperanza salvaje se formó en la mente del joven. Así como los caribes asesinos eran los sirvientes del dios del mal, sabía que Yúcahu también tenía sirvientes, personas que existían para ayudar y curar. Tal vez Yúcahu había enviado a estas personas para ayudarles, para protegerles de los caribes. Mientras la gran canoa disminuía su velocidad en la bahía, el joven taíno se puso de pie y corrió hacia el pueblo para traerles la gran noticia. Los sirvientes de Yúcahu habían llegado.

## El primer viaje de Cristóbal Colón

Cristóbal Colón era un hombre con una misión. Durante décadas, desde que los turcos otomanos destruyeron la Ruta de la Seda, los barcos de comercio a las Indias tenían que navegar por todo el camino alrededor de África. Colón estaba convencido de que había un camino más fácil hacia la riqueza de Asia. Nadie se había atrevido a navegar hacia el oeste desde España antes, pero estaba seguro de que, si se podía navegar hacia el oeste lo suficientemente lejos, se podía dar la vuelta al mundo y llegar a la India de esa manera.

Casi estuvo en lo cierto. Tan solo había un pequeño problema: el continente americano estaba en el camino.

El 6 de septiembre de 1492, Colón zarpó de las Islas Canarias de España con tres naves, una tripulación decidida —si se le obligaba— y la bendición de la corona española. Su viaje duraría seis semanas antes de llegar a tierra y fueron unas terribles seis semanas en el mar abierto. Sus tres barcos, *La Niña*, *La Pinta* y *Santa María*, fueron sacudidos por los amplios mares y su tripulación se petrificó aún más en el viaje. Su terror no hizo más que aumentar cuando Colón se dio cuenta que la aguja de su brújula se comportaba de una manera diferente en este extraño nuevo océano mientras viajaban hacia el oeste. No señalaba la estrella polar, vagaba inexplicablemente hacia el oeste y su extraño comportamiento hizo que su tripulación se volviera loca de nostalgia y miedo. Colón se las arregló para mantenerlos juntos especulando que tal vez la brújula no apuntaba hacia la estrella polar en absoluto, sino más bien hacia algún lugar de la tierra, algún punto místico e invisible que era realmente el norte. Allí tampoco se equivocaba. Colón acababa de descubrir la declinación magnética, un fenómeno que había sido vagamente observado en Europa y China antes, pero que aún no era un conocimiento aceptado por la mayoría de los navegantes.

Finalmente, después de un mes de no ver nada a su alrededor excepto la distancia de ensueño del océano abierto, la tripulación divisó tierra. En las primeras horas de la mañana, un joven marinero de *Santa María* gritó las palabras que todos habían estado esperando con tanto entusiasmo. Después de correr hacia la cubierta, Colón afirmó que la había visto primero —por lo que le robó al joven Rodrigo de Triana la generosa recompensa monetaria prometida a quien viera tierra primero en este viaje— y luego vio la isla que fue el primer pedazo de las Américas visto por ojos europeos: San Salvador. No se sabe con certeza si la San Salvador de Colón es la misma isla que lleva ese nombre hoy en día, pero sin duda estaba en algún lugar de las Islas Turcas o de las Bahamas y él estaba ciertamente encantado de verla.

### Colón llega a Cuba

Después de pasar unas semanas en las Bahamas, Colón —que aún buscaba la India— navegó aún más hacia el oeste. Y el 28 de octubre de 1492, se encontró con una tierra que le pareció espectacularmente hermosa, incluso comparada con las impresionantes islas a las que acababa de llegar. Al llegar a la costa este de esta nueva tierra, tuvo que preguntarse en aquel momento: ¿recordaba él que la India fuera así de hermosa?

Sin embargo, Colón salió rápidamente de sus dudas. Decidió que esta debía de ser una península de Asia y concluyó que su viaje había sido exitoso. Así fue como los nativos que se apresuraron a conocer a estas extrañas personas nuevas se ganaron el nombre de *indios*, a pesar de estar entre los primeros y más antiguos americanos. Eran los únicos indios que Colón conocería en sus viajes al oeste, pues nunca encontró esa ruta hacia la India. En cambio, había descubierto una isla que posteriormente se convertiría en un tesoro inestimable para la corona española, luego en una espina clavada y, finalmente, en una nación increíblemente independiente que no permitiría que el mundo le dictara sus acciones. Había descubierto Cuba.

### Los españoles y los nativos

En el momento de la llegada de Colón a Cuba, la población taína de la isla era de unos 350.000 habitantes. Sin saber lo que estos españoles significarían para sus destinos, los nativos los recibieron con los brazos abiertos. ¿Por qué no iban a hacerlo? Creían que estas nuevas personas eran sirvientes de Yúcahu y que no tenían nada que temer. Al remar hacia los barcos en sus canoas, los taínos comenzaron inmediatamente una forma rudimentaria de comercio, que traía a los hambrientos españoles muestras de sus cosechas y otros alimentos a cambio de bonitas baratijas como cuentas de cristal. Así es como Europa se familiarizó con muchos de sus productos favoritos de hoy en día, como el pavo, el tabaco o la piña. Los nativos también le llevaron a Colón, de buena gana o no, algo que él definitivamente reconoció: oro.

Los taínos habían estado usando pepitas de oro de los ríos de Cuba y de otras islas para hacer joyas durante siglos. Colón se asombró al ver aros de oro en las orejas de los hombres y colgantes de oro en las gargantas de las mujeres, que rápidamente robó para llevarlos a España. El oro no fue lo único que se llevó. Aunque la violencia entre los españoles y los taínos era poco frecuente durante el primer viaje, consiguió secuestrar a algunos nativos para llevarlos a España como una especie de recuerdo.

Colón y sus hombres pasaron varias semanas descansando y relajándose en Cuba, manteniendo buenas relaciones con los taínos y aprendiendo más sobre su cultura; información que sería convenientemente olvidada más tarde, cuando se decretó que los taínos eran poco más que animales. Después de navegar a La Española (el moderno Haití), Colón estaba satisfecho de haber descubierto su ruta hacia la India. En enero de 1493, volvió a embarcar a sus marineros y se dirigió de vuelta a España.

Su regreso a España no se produjo sin incidentes. El *Santa María* había encallado cerca de La Española, así que regresó con solo dos carabelas más pequeñas, aunque pudo rescatar a sus marineros. Una terrible tormenta cayó sobre ellos durante su viaje de regreso a Europa. Esta tormenta resultó haber reclamado otras cien carabelas similares de la España castellana, pero *La Niña* y *La Pinta* lo lograron, y finalmente llegaron a España en marzo de 1493. A Colón se le dio la bienvenida como a un héroe que regresa.

Sin embargo, no se quedaría por mucho tiempo. El 24 de septiembre de 1493, Colón partió hacia «Asia» una vez más para explorarla más a fondo y establecer una ruta comercial, esta vez con diecisiete naves en lugar de tres. Tranquilizados por el descubrimiento, los armadores y los miembros de la tripulación se mostraron mucho más entusiasmados con la idea de unirse a Colón y emprendieron el viaje en una flota bastante grande desde Cádiz con grandes esperanzas. El 30 de abril, Colón regresó a Cuba y exploró su costa sur. Y aquí fue donde comenzaron los problemas.

La reina Isabel y su esposo Fernando habían pedido a Colón que fuera amistoso con los nativos. Él desobedeció completamente. Desesperado por pagar a aquellos que habían invertido en sus últimos viajes, Colón se dio cuenta de que la manera más rápida de hacer dinero con sus viajes sería comerciar con algo de valor inmediato. Al no poder encontrar suficiente oro, recurrió a la siguiente mercancía disponible que le era familiar a los europeos: los esclavos. Y así, la larga historia de la esclavitud cubana comenzó incluso antes de que nadie supiera lo que Cuba era en realidad.

560 esclavos de varias islas del Caribe se enviaron a España. Solo 360 llegaron allí, los demás murieron de enfermedades. Tristemente, este fue solo el comienzo de la historia de cómo los europeos abusaron, explotaron y destruyeron al pueblo taíno.

En mayo de 1493, antes de que Colón navegara a Cuba por segunda vez, el papa Alejandro VI emitió una bula papal —un edicto emitido por el papa— que ordenaba a los españoles colonizar las islas que habían descubierto, conquistar a su gente y convertirlos al catolicismo. Los marineros que habían visitado Cuba en 1492 regresaron en 1493 no como exploradores sino como conquistadores. Y conquistar era exactamente lo que se propusieron a hacer.

Los amistosos taínos, que habían sido tan libres y generosos con sus recursos, se horrorizaron cuando Colón comenzó a tomar grupos de ellos cautivos para la esclavitud. Fue este secuestro el que llevó al primer conflicto armado entre los españoles y los taínos. Así como la mayoría de los combates de las dos décadas siguientes, esta fue una lucha unilateral. Los taínos eran muy hábiles en el cultivo de alimentos, en juegos de pelota y en consultar a sus espíritus. Sin embargo, no eran expertos en la guerra. Sus armas de madera eran defensas patéticas contra la pólvora y la estrategia de los españoles, por lo que sus enfrentamientos con los invasores no eran solo batallas, sino masacres completas.

Las cosas no mejoraron para los taínos, ya que los españoles continuaron explorando y asentándose en el Nuevo Mundo. En 1509, un marinero llamado Sebastián de Ocampo fue autorizado por el gobernador de La Española a circunnavegar Cuba —entonces conocida como *Juana*— para determinar si era una península de China, como Colón había esperado. En ocho meses —y navegando contra la Corriente del Golfo— Ocampo circunnavegó la isla. La

Corona española decidió que era hora de colonizarla en 1511 y envió a Diego Velázquez de Cuéllar y sus hombres a conquistar la isla.

Ilustración 1: Monumento a Hatuey en Baracoa

### El primer héroe nacional de Cuba

Velázquez viajó desde La Española a Cuba con una tropa de hombres, empeñados en conquistar las voluntades de los nativos y el paisaje de la isla. Pero Hatuey llegó allí primero.

Hatuey era un cacique taíno originario de La Española. Cuando vio el trato abominable que los españoles infligían a los indios en su isla natal, supo dos cosas: La Española era una causa perdida y que había que advertir a Cuba. Con cuatrocientos taínos en sus canoas, Hatuey viajó a Cuba para intentar unificar a los cientos de miles de taínos residentes y defenderse de los españoles.

Al llegar a Cuba, Hatuey reunió a toda la gente que pudo y pronunció un discurso conmovedor. Levantó una cesta llena de tesoros inestimables, piedras preciosas y oro brillante, y habló con la autoridad de un cacique. Los taínos creían que los españoles servían a un dios de paz, amor e igualdad. Pero Hatuey había observado su hipocresía y descubrió la amarga verdad: que servían a este dios bondadoso tanto como lo hacían los fariseos de la antigüedad, solo con el nombre. «Aquí está el Dios que los españoles adoran», gritó, señalando el cesto de joyas. «Por esto luchan y matan; por esto nos persiguen y por eso tenemos que arrojarlos al mar».

Habló de las muchas maneras en las que los españoles ya habían empezado a abusar de los taínos: la dura esclavitud, el robo de tierras y posesiones taínas, la violación de jóvenes mujeres taínas. Su discurso era entusiasta, sus palabras eran verdaderas, pero los cubanos no le creían. Esta gente amable no podía comprender que la nueva gente de la que se habían hecho amigos los tratara tan cruelmente y, en su mayoría, rechazaron las afirmaciones de Hatuey. Solo unos pocos caciques cubanos aceptaron unirse a Hatuey para resistir a los españoles. Así, al escapar a las montañas, Hatuey se convirtió en el primer héroe de la guerra de guerrillas en la historia de Cuba, una tradición que sería continuada durante cientos de años por los luchadores de la resistencia y la libertad.

Cuando Velázquez llegó para establecer un asentamiento en Baracoa, encontró poca resistencia por parte de la mayoría de los cubanos, pero Hatuey estaba preparado para él. Al salir de la nada, sus feroces bandas de guerrilleros atacaron a los soldados con una velocidad y sorpresa devastadoras. A pesar de que su armamento de madera tuvo que usarse contra las armaduras españolas («Incapaces de igualarnos en valor, estos cobardes se cubren con un hierro que nuestras armas no pueden romper», había dicho Hatuey en su discurso), los ataques cubanos fueron lo suficientemente fuertes como para forzar a los españoles a la defensiva. Casi sin salir de su campamento durante tres meses, Velázquez y sus hombres fueron acosados y rechazados por la pequeña banda de hombres decididos de Hatuey.

Y los hombres tenían todas las razones para estar furiosos. Los españoles no solo estaban conquistando a los taínos y tomando sus tierras. Los perseguían y los atacaban de manera salvaje, a menudo sin ninguna provocación ni razón. El historiador y clérigo Bartolomé de las Casas registró, con un gran horror, múltiples masacres de inocentes taínos. La más notable fue un ataque a un grupo de hombres, mujeres y niños inocentes cerca de Camagüey. Entre 250.000 y 300.000 personas viajaron para dar la bienvenida a los españoles que desembarcaron allí, preparándoles un gran festín de pan y pescado. Los españoles disfrutaron del festín y luego rápidamente desenvainaron sus espadas y masacraron hasta el último de los nativos desarmados. «Su sangre corría como un río», escribió Las Casas.

Esta matanza masiva llevó a Hatuey y a sus hombres a una guerra abierta. A pesar de su escaso número, el ejército de Hatuey fue lo suficientemente apasionado y motivado como para mantener a los españoles a raya. Pero a Velázquez no le arrebatarían su premio. Tras aterrorizar a los nativos con grandes mastines —criaturas que nunca habían visto antes— y capturar a algunos de los combatientes para torturarlos hasta que se lo contaran todo, Velázquez capturó a Hatuey el 2 de febrero de 1512. Lo arrastró a un lugar llamado Yara, lo ató a una estaca y lo quemó vivo.

La resistencia murió con Hatuey. Los españoles asesinaban libremente a miles de taínos, en ocasiones en batallas unilaterales, otras veces los esclavizaban y luego procedían a maltratarlos y matarlos de hambre en sus minas. Pero, en última instancia, no fueron las espadas españolas las que acabaron con la raza taína. Se debió a las enfermedades que los españoles trajeron consigo y para las cuales los taínos no tenían inmunidad natural: más notablemente la viruela y el sarampión. Murieron por miles y, en menos de medio siglo, una raza que había sido fuerte fue simplemente eliminada en uno de los genocidios más rápidos y repugnantes de la historia hasta el momento.

Hoy en día, poco queda de los taínos, excepto los fragmentos de su lenguaje que se encuentran en tantas palabras inglesas de hoy, palabras como «tabaco» o «huracán», y en casi todos los topónimos cubanos. Algunos fragmentos de su cultura también se absorbieron por el modo de vida moderno en todo el mundo, más específicamente el cultivo de tabaco. Fueron los taínos quienes mostraron a los españoles cómo cultivar esta planta y luego procesarla y fumarla como cigarros.

Sin embargo, algunos descendientes de taínos han sobrevivido. Aunque fueron totalmente conquistados en 1514, unos pocos de cientos permanecieron vivos, trabajando como esclavos. En 1552, bajo las Leyes Nuevas (leyes aprobadas específicamente para proteger los derechos de los nativos americanos en las colonias españolas), a los últimos cubanos que quedaban se les dieron pequeñas ciudades para vivir. Muchos hombres españoles se habían casado con mujeres taínas, por lo que una gran proporción de la población mestiza de Cuba tiene restos de ADN taíno. Pero como cultura y como pueblo, los taínos desaparecieron en 1550.

### Cuba bajo el control español

En 1514, Cuba era oficialmente una colonia española. Velázquez fue nombrado su primer gobernador y estableció múltiples asentamientos, como Baracoa, Santiago de Cuba e incluso San Cristóbal de la Habana, un asentamiento que se convertiría en la actual Habana. La comunidad española creció y comenzó a prosperar en toda Cuba, exploró sus selvas y comenzó a cultivar campos de cosechas como el maíz, el tabaco o el azúcar. El comercio comenzó a florecer entre el Viejo y el Nuevo Mundo, y Cuba sería un instrumento para facilitarlo. Pero esta prosperidad tenía un precio y África lo iba a pagar.

# Capítulo 3. Esclavitud y caña de azúcar

Con los nativos casi aniquilados, los españoles se dispusieron a convertir a Cuba en su asentamiento más importante del Nuevo Mundo. Los españoles creían que Cuba era rica en oro, así que los colonos transfirieron su foco de atención de La Española hacia Cuba. Desde el viaje de Ocampo y la conquista de Velázquez, comenzaron a explorar los ricos recursos de la isla.

Mientras que el oro no era tan abundante como los españoles esperaban, había otros tesoros en Cuba. Los más importantes fueron el tabaco y el azúcar. El tabaco había sido completamente desconocido para los europeos hasta la llegada de Colón a las Américas. La planta —originaria de América Central y del Sur— había sido utilizada por los diversos pueblos nativos durante siglos como una especie de remedio para todo, así como para fumar. Los taínos enseñaron a los españoles a fumar sus hojas y el extraño hábito se extendió como un incendio forestal. Aunque parte del tabaco se llevó a Europa para ser cultivado allí, crecía mejor en su lugar de origen, y pronto las islas del Caribe se vieron obligadas a alimentar el nuevo el insaciable anhelo europeo.

El azúcar, por otro lado, era bien conocido por el paladar europeo desde las cruzadas. Era un lujo de alta rentabilidad, tanto que los comerciantes lo llamaban «oro blanco» y el ciudadano común no podía permitirse de ninguna manera este lujo. Se cree que Colón llevó la caña de azúcar al Caribe durante su segundo viaje en 1493, donde la planta prosperó debido al clima.

Con el comercio que se desarrollaba en la isla y en el resto del Caribe, los españoles estaban desesperados por encontrar mano de obra para trabajar en las minas de oro, en los ranchos y en las plantaciones de tabaco y azúcar. Mientras los taínos morían por miles, casi aniquilados por las enfermedades europeas, los españoles comenzaron a buscar otros esclavos para alimentar esta tremenda máquina de hacer dinero con la que habían tropezado. Y así, menos de dos décadas después de que Cuba fuera conquistada, el primer envío de esclavos africanos cruzó el Atlántico y comenzó la más extendida y brutal era de esclavitud en la historia de la raza humana.

### Cronología de la esclavitud cubana

El primer barco de esclavos desembarcó en Cuba en 1526. Aunque la trata de esclavos alcanzaría su punto álgido durante el siglo XVIII, se mantuvo constante a lo largo de los años 1500 y 1600. Tras el asedio de La Habana en 1762, Gran Bretaña ocupó brevemente el puerto e importó el primer gran cargamento de esclavos a Cuba, más de cuatro mil en un solo año. Esto impulsó el comercio de esclavos hasta el punto de que, en la década de 1780, casi veinte mil esclavos se trajeron a Cuba. En los quince años siguientes, más de noventa mil esclavos pasaron por La Habana. La esclavitud continuaría por más de trescientos años hasta que finalmente se abolió a finales del siglo XIX. En total, unos 370.000 esclavos llegarían a Cuba, cifra superior a la de toda la población taína de la isla en su apogeo.

## Captura de esclavos africanos

Por extraño que parezca, la esclavitud no era un concepto totalmente desconocido en África. Se utilizaba como castigo en muchos países, de manera similar a como se utiliza el encarcelamiento en el mundo moderno. Otros eran tomados como esclavos para pagar sus deudas. Sin embargo, la esclavitud material, es decir, la forma de esclavitud en la que las personas son intercambiadas como propiedad y son poseídas durante toda su vida, con poca o ninguna esperanza de ser libres, apenas se practicaba. Al menos, no hasta que comenzó el comercio de esclavos.

Al principio, se utilizaron los taínos que pronto quedaron casi erradicados por la enfermedad y el exceso de trabajo. Ya en el año 900, los africanos se dedicaban al comercio de esclavos con los árabes. Pero fue solo cuando la trata de esclavos en el Atlántico comenzó con fuerza que un gran número de personas fueron vendidas como esclavas. A medida que los esclavos nativos morían por millares, los españoles colonizadores de Cuba recurrían a otra fuente de seres humanos «reemplazables» para satisfacer su apetito de mano de obra. Y África tenía una población mucho mayor.

Los gobernantes africanos y los contrabandistas comenzaron su participación en la trata de esclavos mediante el secuestro o la utilización de prisioneros de guerra. Arrastraban a los esclavos de toda África a los puertos marítimos de su costa occidental en países como Sierra Leona, el Congo, Senegal y Angola, y los vendían a los comerciantes europeos que los enviaban a través del Atlántico a Europa y al Nuevo Mundo. El apetito por los esclavos creció tanto que algunas naciones africanas incluso comenzaron a hacer la guerra entre sí solo para generar suficientes prisioneros de guerra para venderlos como esclavos. Así pues, el número de víctimas de la esclavitud entre la población africana no solo incluye a los esclavos, sino también a los soldados que cayeron en esas batallas inútiles. Las economías de países enteros se basaban en este comercio repugnante.

## El Pasaje del medio

Tal vez la parte más inhumana de la experiencia de los esclavos fue cruzar el Atlántico a través del famoso «Pasaje del medio». Esta era una parte de la ruta triangular tomada por los traficantes de esclavos donde los africanos eran enviados a destinos del Nuevo Mundo. Los esclavistas comenzaban en Europa y viajaban a África cargados de mercancías, que utilizaban para comerciar a cambio de esclavos antes de llevarlos a las Américas y luego regresar a Europa.

Es difícil imaginar cómo se debieron de sentir los esclavos. No hace mucho tiempo, habían sido gente libre. Muchos de ellos tenían familias, esperanzas para el futuro, trabajos y negocios. Habían vivido en un continente de vastos espacios y clima salvaje, un lugar con increíbles paisajes y un cielo tormentoso, pero ahora se encontraban apiñados hombro a hombro con extraños, en barcos que se agitaban y luchaban por atravesar el océano salvaje. Amarrados y encadenados, despojados de sus familias, yacían en la terrible oscuridad, enfermos y moribundos, lidiando con el mareo y con el vómito resultante que a veces tardaba días en limpiarse.

Atrapados en cientos como si fueran sardinas en una lata, estas personas que habían sido libres hacía tan solo unas semanas, ahora estaban encadenadas a tablones de madera con tanta fuerza que les causaba llagas abiertas, que a veces llegaban hasta el hueso. No había baños o prácticas higiénicas en estos barcos; las llagas solo se infectaban de manera horrible. Y esta era tan solo una de las muchas pruebas horribles que los esclavos tenían que soportar en los barcos.

Al igual que los taínos, los africanos no tenían ninguna resistencia a las enfermedades europeas como el sarampión, la viruela o la disentería. En el sucio y sofocante ambiente de los barcos de esclavos, tan apiñados como estaban, la enfermedad se propagó como un incendio forestal. Los esclavos morían por centenares y a veces permanecían en la bodega durante días, a menudo encadenados a esclavos vivos, antes de que sus cuerpos fueran arrojados descuidadamente por la borda. La comida y el agua no eran suficientes, como tampoco lo era el espacio. Sin embargo, para que los esclavos fueran al menos algo útiles al llegar al Nuevo Mundo, la tripulación de los barcos de esclavos los llevaba a cubierta y les obligaba a bailar para hacer ejercicio.

Esta era la única oportunidad que tenían los esclavos para rebelarse, y se rebelaban, a veces con consecuencias desastrosas. Hubo muchos levantamientos en esos temibles mares y la mayoría de ellos terminaban mal para los esclavos. Cientos morían en las rebeliones; otros, viendo que la lucha era inútil, elegían tirarse por la borda en su lugar, para morir en las aguas infestadas de tiburones. Los suicidios de esclavos llegaban a ser tan frecuentes que los barcos estaban equipados con redes para hacer más difícil que los esclavos se mataran a sí mismos. Otros elegían una forma más pasiva de suicidio rechazando la comida y el agua. A pesar de los esfuerzos de las tripulaciones por alimentar a la fuerza a su «mercancía», muchos esclavos también morían así.

La tripulación tampoco se lo pasaba bien en los barcos de esclavos. La mayoría odiaba el comercio y se negaba a aceptar de buena gana el trabajo en un barco de esclavos, así que muchos eran coaccionados o secuestrados. Después de entregar los esclavos en el Caribe, el barco necesitaba mucha menos tripulación, por lo que los miembros de la tripulación se morían de hambre o eran apaleados en un intento de matarlos u obligarlos a abandonar el barco en el Caribe. Alrededor de uno de cada cinco tripulantes de los barcos de esclavos moría.

Las tasas de mortalidad de los esclavos eran aún peores. William Wilberforce, un defensor de la abolición del comercio de esclavos en el siglo XVIII, citó que la cifra era de alrededor de un 12,5 %, es decir, uno de cada ocho esclavos. Los esclavos enfermos mortales eran a menudo arrojados por la borda mientras aún vivían y básicamente no había provisión de medicinas ni atención sanitaria de ningún tipo.

## Al llegar al Nuevo Mundo

Los esclavos que sobrevivían al viaje al Nuevo Mundo estaban débiles y enfermizos al llegar. Los traficantes necesitaban venderlos lo más rápido posible para obtener ganancias y regresar a Europa a por otro cargamento, por lo que no se les dio tiempo para recuperarse de su duro viaje. Llevados en manadas como ganado, los esclavos eran lavados, frotados con aceite de palma para ocultar algunas de sus heridas y se les daba ropa rudimentaria. La tasa de mortalidad en esta etapa era todavía bastante alta: alrededor de un 4,5 % de los esclavos morían antes de ser vendidos a sus nuevos dueños.

Los esclavos destinados a Cuba se llevaban principalmente a La Habana, aunque también se utilizaban otros puertos. Una vez limpios para su venta, el método más popular de venta de esclavos se conocía como «revuelta». Esta era una experiencia horrible para los africanos. En ese momento eran incapaces de entender a los europeos, ya que no hablaban ni español ni inglés; no tenían forma de saber lo que estaba pasando, ya que eran amontonados en un corral. El sonido de un disparo —probablemente el primer disparo que algunos de ellos habían oído— indicaba a los compradores de esclavos que se apresuraran a entrar en el corral para quedarse con los esclavos que querían. Los rumores de que estos extraños hombres blancos los habían capturado para comérselos nunca debieron de parecer tan probables como en ese momento, con los codiciosos y hambrientos dueños de las plantaciones corriendo hacia los aterrorizados esclavos.

Este era también el momento en el que la mayoría de las familias se separaban para siempre. Aquellos que habían hecho amigos durante el viaje de seis semanas desde África se veían ahora despojados de ellos también; los niños eran arrancados de los brazos de sus madres, las parejas se separaban, las familias se destruían cuando los nuevos propietarios se los llevaban. No tenían ni voz ni voto con respecto a su destino. Era obedecer o morir y, aunque muchos elegían morir, se les había quebrantado el espíritu lo suficiente como para que el comercio siguiera siendo lucrativo para los capitanes de esclavos y los propietarios de plantaciones de todo el mundo.

### La vida en las plantaciones

Cuando un esclavo ponía el pie en una plantación de azúcar, su esperanza de vida disminuía inmediatamente debido a la dureza del trabajo, los abusos de los propietarios, los capataces y las terribles condiciones de vida. No se esperaba que la mayoría de los esclavos vivieran más de ocho años en una plantación. Los propietarios tenían pocos motivos para tratar de prolongar esta esperanza de vida; con la abundancia de esclavos que llegaban por La Habana, era más barato y fácil comprar nuevos.

Para las mentes modernas del primer mundo, es difícil comprender el sufrimiento de estos esclavos del azúcar. Si usted era un esclavo, trabajaba de dieciséis a veinte horas al día; eso significaba que solo dormía unas tres horas, menos de la mitad de la cantidad de sueño que los adultos normales necesitan, sin importar las horas dedicadas a tantos trabajos físicos duros. El trabajo era agotador, lo que causaba que los músculos dolieran mientras los ojos ardían por la falta de sueño. El sol tropical golpeaba mientras uno trabajaba en los cañaverales abiertos con poca protección. Y si los miembros cansados disminuían la velocidad, se detenían, aunque fuera por un momento o caían sobre la tierra caliente y fértil, el látigo del capataz atravesaba el aire y golpeaba la espalda y los miembros, dejando heridas abiertas que picaban por el sudor que les llegaba de los músculos que no paraban de ejercitarse. Uno trabajaba hasta que se caía y, si se caía, era golpeado. Y todo el tiempo mientras uno trabajaba, estaba produciendo un lujo para unos pocos mimados y privilegiados, un mero bocado sabroso que tenía poco valor real más allá del placer.

Los esclavos vivían en un recinto asfixiante y sin aire, conocido como *barracón*, con poca higiene o área de baño separada y escasa comodidad. Las esclavas corrían el riesgo de ser violadas por sus amos o, si se quedaban embarazadas, podían ser golpeadas hasta que abortaran o les podían quitar a sus hijos y venderlos lo antes posible.

Muchos esclavos intentaban pensar en formas de rebelarse. Muchos consideraban el suicidio, la última y la más silenciosa rebelión que podían pensar, la única cosa que los capataces no les podían prohibir. Muchos esclavos se ahorcaban y preferían la muerte a la esclavitud, convencidos de que sus espíritus volverían a África y serían libres de nuevo. Sus cuerpos, sin embargo, permanecían en Cuba, donde los patrones les cortaban las manos y las cabezas para mostrárselas a todos los demás esclavos en un intento de desanimarlos.

Algunos esclavos intentaban rebelarse de una manera más activa por medio de levantamientos, que eran comunes en las plantaciones de caña de azúcar. Sin que muchos esclavos lo supieran, a medida que se acercaba el siglo XIX, los negros superaban en número a los cubanos blancos y mulatos (mestizos), por lo que el temor a una rebelión era muy real, un temor que se intensificó después de la revolución haitiana de 1791, durante la cual toda una nación de esclavos se despojó de sus vínculos y se volvió contra sus dueños, expulsándolos al mar. Pero los esclavos cubanos nunca organizaron una rebelión unida y la nueva libertad de los haitianos supuso una mayor esclavitud para los africanos importados a Cuba. Haití, que una vez fue el principal exportador de azúcar del Nuevo Mundo, ya no tenía esclavos para alimentar a esta próspera industria, ya que su población recién liberada se dedicaba a la agricultura de subsistencia. Los propietarios de las plantaciones huyeron a Cuba, donde la industria azucarera experimentó un gran auge y el número de esclavos importados se elevó vertiginosamente a cientos de miles.

Eso dejó abierta una última vía para la rebelión, una que muchos esclavos tomaban: la de escapar. No tenían medios para volver a África, pero podían intentar llevar una vida secreta de algo cercano a la libertad en las montañas al este de Cuba; y así empezaban a aparecer comunidades de esclavos en Guantánamo y en la Sierra Maestra. Estos fueron conocidos como *palenques*. Los esclavos que escapaban se mezclaban con lo que quedaba de los nativos cubanos, desarrollando pequeños asentamientos propios; esta gente y sus descendientes eran conocidos como *cimarrones*.

Sin embargo, la mayoría de los esclavos se quedaban trabajando en los campos de caña de azúcar hasta que morían. Las causas de su muerte eran muchas: simple agotamiento, deshidratación, suicidio o enfermedad. A otros simplemente los mataban a golpes sus dueños, que utilizaban castigos brutales para mantener a sus esclavos a raya, incluyendo atarlos al cepo y azotarlos hasta que sangraran. El Código Negro Español, un conjunto de leyes aprobadas en 1789 que se suponía que protegían a los esclavos de los abusos, fue de poca ayuda; la mayoría de los propietarios de esclavos simplemente no lo aplicaban.

El poema simplista del poeta cubano del siglo XX Nicolás Guillén, titulado *Caña*, le da una voz poderosa al sufrimiento de los esclavos cubanos.

El negro

junto al cañaveral.

El yanqui

sobre el cañaveral.

La tierra

bajo el cañaveral.

¡Sangre

que se nos va!

# Capítulo 4. La guerra

Ilustración 2: Los barcos británicos en la guerra de los Siete Años

A medida que se descubrían más y más tesoros de todo tipo en las Américas y se enviaban de vuelta al Viejo Mundo, la prosperidad de Cuba crecía. La isla no solo producía todo tipo de mercancías útiles, sino que su nueva capital se convirtió en uno de los principales puertos utilizados por los barcos comerciales que viajaban a Europa. Aunque Santiago de Cuba fue nombrada la primera capital oficial de

Cuba, La Habana se estableció rápidamente como su puerto más importante y, con el tiempo, se convirtió en la capital. Su posición en la costa occidental de la isla, así como su conveniente bahía, la convirtieron en una parada perfecta para los barcos comerciales que se dirigían al Viejo Mundo cargados de tesoros caribeños y americanos. Los barcos paraban en esta ciudad para recoger agua, carne, cuero, madera, tabaco y azúcar; normalmente para entonces ya estaban también cargados de mercancías de otros países, especialmente de oro y plata. Utilizaban La Habana como una parada final antes de comenzar el largo viaje de vuelta a Europa.

A mediados del siglo XVI, casi todos los barcos comerciales españoles —incluso los procedentes de México, Panamá y otras islas del Caribe— paraban en La Habana. Esto comenzó a atraer la atención de aquellos que querían la floreciente ciudad para ellos, aquellos que querían invadirla y saquear su riqueza. A Cuba se la estaba poniendo en el mapa como un deseable refugio de tesoros y comercio y el mundo se había dado cuenta. Por primera vez desde la colonización española, la isla estaba siendo atacada por fuerzas externas.

Sin embargo, esta no fue una guerra común con soldados corrientes. Esta fue una guerra de piratas.

### Los verdaderos piratas del Caribe

Los piratas eran bandidos de alta mar. Originalmente, eran grupos de rebeldes que abandonaban la marina o los barcos mercantes para hacer lo que les gustaba, vivir para sus propios intereses y hacer lo que les plazca. El Atlántico era rico en barcos mercantes, la mayoría de los cuales eran lentos, pesados y mal defendidos, lo que los convertía en blancos perfectos para las flotas piratas rápidas y salvajes que aparecían y saqueaban sus bodegas en busca de tesoros, a menudo masacrando a las tripulaciones.

Los propios piratas no solían vivir durante mucho tiempo; sus vidas estaban llenas de riesgos, pero muchos consideraban que la libertad y el lujo de la vida de los piratas valía la pena el riesgo. Los esclavos fugados también se unían a menudo a los piratas a cambio de su libertad y de la venganza de esos mismos comerciantes que les habían arrebatado todo lo que una vez habían amado.

La era de los piratas duró siglos. Comenzó a principios del siglo XVI y alcanzó su punto máximo durante la Edad de oro de la piratería, desde mediados del siglo XVI hasta principios del siglo XVII. La piratería solo disminuyó cuando los países europeos se unieron para defenderse de los piratas que quedaban en el siglo XIX. Durante la Edad de oro, puertos enteros estaban formados en su totalidad por comunidades de piratas, como Port Royal en Jamaica y Nassau en las Bahamas.

A medida que los piratas ganaban fuerza, algunos países decidieron aprovechar este nuevo método de adquirir riqueza por medio de la contratación de piratas conocidos como corsarios para atacar barcos pertenecientes a países enemigos. Los corsarios devolvían el tesoro a sus empleadores y se repartían las ganancias. Esto ayudó a financiar las guerras que se estaban desarrollando en toda Europa durante esta época.

### La Flota del Tesoro Español y el saqueo de La Habana

España siguió enviando buques cargados de plata desde las Américas al Viejo Mundo, pero a menudo los buques individuales no se defendían en absoluto y resultaban ser una presa fácil para los piratas. Ante esta tremenda pérdida financiera, la corona española tuvo que encontrar una solución. Para ello optaron por la Flota del Tesoro Español o la Flota de Indias.

En lugar de navegar a Europa de uno en uno, los barcos mercantes españoles se vieron obligados a ir en grupo. Dos flotas zarparían de Europa cada año, una con destino a México en primavera y otra con destino a Colombia y Panamá en agosto. Luego pasaban el invierno en las Américas para cargar mercancías antes de reunirse en La Habana para el viaje de vuelta a casa la siguiente primavera. Estarían escoltadas y protegidas por la formidable Armada Española, una flota de buques de guerra que intimidaba incluso al más temerario de los piratas.

La propia ciudad de La Habana seguía siendo un objetivo al que los piratas no podían resistirse. Fue atacada repetidamente por diversos piratas y el ataque más notable lo realizó Jacques de Sores. Este corsario francés se había ganado el apodo de «El Ángel Vengador» por ser un pirata excepcionalmente despiadado y aterrador. La mayoría de los piratas mataban para obtener riqueza; El Ángel Vengador a veces mataba solo para derramar sangre. Este aparente psicópata consideraba que La Habana era un refugio de tesoros y en 1555 decidió que era hora de que ese tesoro fuera suyo. Sus cuatro barcos atacaron la ciudad a altas horas de la noche y sus piratas desembarcaron para saquear y arrasar La Habana. Desafortunadamente para de Sores, no había ninguna riqueza real en la ciudad; todo pasaba por los barcos del tesoro en lugar de permanecer en La Habana. El enfurecido Jacques de Sores quemó La Habana hasta los cimientos, ahorcó a muchos de sus residentes y finalmente la dejó en ruinas.

Las autoridades españolas reaccionaron mediante la fortificación de su preciado puerto, al construir dos fortalezas, «El Morro» y «La Punta», en el canal de la bahía. Para más información sobre el saqueo de La Habana y sobre sus fortificaciones, consulte el libro *Historia de La Habana: una guía fascinante de la historia de la capital de Cuba desde la llegada de Cristóbal Colón a Fidel Castro.*

### El saqueo de Santiago de Cuba

De Sores no fue el único corsario aterrador que saqueó la costa de Cuba. De hecho, era amigo de un pirata aún más famoso y sediento de sangre: François le Clerc. Le Clerc fue un famoso pirata temerario cuya especialidad era abordar los barcos asediados antes de que lo hicieran sus hombres, una táctica salvaje que finalmente casi acaba con él, ya que perdió una pierna y se lesionó gravemente un brazo en una batalla con un barco inglés. Esto no le frenó por mucho tiempo. Tan pronto como el muñón se le curó, le Clerc se amarró un palo y continuó como si nada hubiera pasado, quizás con más gusto que antes. Esto le ganó el apodo de «Jambe de Bois», que en francés significa «pata de palo». La tradición moderna de los piratas de pata de palo proviene de él.

Le Clerc estaba a cargo de una flota de diez barcos piratas, uno de los cuales estaba comandado por Jacques de Sores y otro por el mismo Le Clerc. Esta flota se dirigió al Caribe y comenzó a asaltar las costas de Puerto Rico, La Española y Cuba, viajando implacablemente hacia el norte. En 1554, le Clerc llegaría a Santiago de Cuba, que entonces todavía era la capital. Ayudado por el resto de su flota, le Clerc tomó la ciudad sin apenas resistencia y se quedó allí un mes entero mientras los piratas quemaban, robaban y saqueaban con un alegre desenfreno. Despojaron a Santiago de Cuba de todas sus riquezas y partieron finalmente con ochenta mil pesos —varios miles de dólares estadounidenses en dinero de hoy, sin contar los quinientos años de inflación— lo que dejó a la ciudad prácticamente en ruinas. El ataque de Le Clerc fue el responsable de que la capital cubana se convirtiera oficialmente en La Habana; Santiago de Cuba nunca se recuperó del todo de este saqueo.

Esta desafortunada ciudad sería saqueada dos veces más: en 1603 y otra vez en 1662. Durante la guerra anglo-española, los corsarios británicos causaron estragos en los barcos y puertos españoles, y era natural que dirigieran su atención a los puertos cubanos. Las defensas de La Habana demostraron ser un elemento de disuasión lo suficientemente fuerte como para mantenerlos a raya, pero Santiago de Cuba no estaba tan bien defendida. En ese momento, seguía siendo la segunda ciudad más grande de Cuba y se convirtió en el principal objetivo del corsario Christopher Cleeve, cuando zarpó de Inglaterra en febrero de 1603. Llegó al Caribe en abril y puso sus miras en Santiago de Cuba, donde llegó a una bahía cercana el 12 de mayo y pasó un mes saqueando la ciudad en busca de todas sus riquezas hasta dejarla en ruinas.

Cuando la guerra terminó, los españoles empezaron a construir una nueva fortaleza para proteger Santiago de Cuba. El Castillo de San Pedro de la Roca tardó décadas en completarse y aún no estaba terminado en 1662 cuando una banda de francotiradores británicos regresó a la ciudad. Estos fueron liderados por Christopher Myngs, un líder pirata notoriamente cruel que comandaba flotas de bucaneros porque les daba rienda suelta para saquear, asesinar y violar a su antojo. A pesar de la fortaleza a medio terminar, la ciudad fue casi completamente destruida. El Castillo de San Pedro de la Roca también se destruyó casi por completo, pero su construcción se reanudó y finalmente se terminó en 1700. Ahora es un Patrimonio de la Humanidad de la UNESCO y una pieza arquitectónica bellamente conservada que rinde homenaje a la época en la que los piratas arrasaban ciudades enteras.

La era estaba a punto de llegar a su fin. A finales del siglo XVIII, los piratas finalmente se convirtieron en más problemas de lo que valían. Incluso aquellos piratas que trabajaban bajo el empleo de países en guerra tenían una tendencia a comportarse mal; en sus corazones, eran la quintaesencia de los rebeldes, espíritus libres a los que no se les podía dar órdenes y que tenían una vena salvaje de no tener reparos en plantar una daga literal o metafórica en la espalda de alguien. Varias potencias comenzaron a prohibir la piratería y, a medida que los ejércitos ganaban fuerza y no apoyaban la piratería, los piratas se iban desvaneciendo hasta casi desaparecer.

### La guerra de la oreja de Jenkins

Sin embargo, los problemas de Cuba estaban lejos de haber terminado. Había sufrido la conquista de los taínos por los españoles y luego las incursiones piratas en sus costas, pero ahora por primera vez estaba a punto de verse sumida en el caos de una guerra intercontinental. Esta fue la llamada guerra de la Oreja de Jenkins o guerra del Asiento, un conflicto tan tonto como lo es su nombre.

Todo comenzó con *Rebecca*, un barco británico. Regresaba a casa de una visita comercial a las Indias Occidentales, camino de La Habana para abastecerse de provisiones antes de emprender el viaje a través del Atlántico hacia Inglaterra en abril de 1731. Su capitán, Robert Jenkins, estaba en cubierta viendo cómo se acercaban los brazos de bienvenida de la bahía de La Habana. Debido a las tensas relaciones entre Gran Bretaña y España, sabía que su barco bien cargado solo podía llevar su carga gracias al Asiento, el contrato que permitía a Gran Bretaña comerciar con las colonias españolas, especialmente con esclavos. Así que, cuando vio a la Guardia Costera española acercarse a *Rebecca*, no estaba muy preocupado.

Pero tenía que estarlo. La Guardia Costera estaba dirigida por Juan de León Fandiño, un comandante que rivalizaba con el corsario. Este español, que era un fanfarrón, estaba harto de los británicos y había oído decir que España se arrepentía de haber establecido el Asiento y quería quitarles el monopolio a los británicos. Ahora se encontraba a bordo de uno de esos odiosos barcos que le robaban el negocio a España delante de sus narices. Jenkins esperaba un intercambio amistoso. Sin embargo, lo que obtuvo fue una tortura.

Los hombres de Fandiño atacaron a la tripulación desprevenida de Jenkins. De manera salvaje, se precipitaron por la bodega de *Rebecca* para saquear su botín, incluidos los instrumentos de navegación de Jenkins. Detuvieron a sus hombres como prisioneros durante todo el día, les hicieron pasar hambre y se burlaron de ellos mientras saqueaban el barco. Finalmente, como un insulto de despedida antes de irse, pusieron a Jenkins contra el mástil y lo ataron. Fandiño sacó su cuchillo reluciente, sonrió burlonamente y le hizo un rápido corte en la oreja. Uno de los tripulantes españoles agarró la oreja cortada y, con un movimiento rápido, se la arrancó de un tirón. Fandiño le devolvió la oreja a Jenkins y le dijo que fuera a mostrársela a su rey para advertirle que lo mismo le pasará a él también. Después de eso, los españoles se fueron.

Al no poder atracar en La Habana para abastecerse, *Rebeca* se vio obligada a navegar medio tullida y saqueada de vuelta a Londres. Llegó al Támesis en junio de 1731 y, días más tarde, Jenkins compareció ante el Parlamento para presentar su infeliz caso al rey. Según algunos relatos, Jenkins solidificó su triste historia al presentar los restos de su oreja perdida flotando en un tarro como un horrible pepinillo. Esta fue la gota que colmó el vaso en las tensas relaciones anglo-españolas. En 1739, se declaró la guerra oficial y así comenzó la guerra de la Oreja de Jenkins.

## La invasión de Cuba

La guerra llevaba dos años en marcha, principalmente en las Indias Occidentales y el vicealmirante Edward Vernon acababa de ser derrotado de nuevo. El comandante británico había puesto un gran esfuerzo en reunir una de las mayores flotas jamás reunidas. En Port Royal, Jamaica, había reunido una fuerza de 27.000 hombres, apiñados en 186 barcos. Con este tremendo ejército, se embarcó en Cartagena de Indias de la actual Colombia. Estaba tan seguro de la victoria que antes de que la batalla terminara, envió informes de su triunfo a Jamaica.

Los informes fueron falsos. La pequeña tropa de españoles en Cartagena se aferró a su ciudad lo suficiente para que la fiebre amarilla golpeara a los británicos. Con todos esos hombres atrapados en los barcos, la enfermedad se propagó como un incendio forestal. Para el 9 de mayo de 1741, seis mil británicos habían muerto y Vernon se vio obligado a retirarse.

Con la moral y la salud muy deterioradas en su ejército, Vernon se fijó un objetivo más fácil: Cuba. Sabía que atacar La Habana no daría buenos resultados, pero el sur y el este de la isla estaban poco poblados y mal defendidos.

A Vernon y al otro comandante británico, al general de división Thomas Wentworth, solo les quedaban 4.000 soldados en forma de combate cuando desembarcaron en la bahía de Guantánamo el 4 y 5 de agosto. La invasión resultante fue posiblemente una de las más lentas y poco sistemáticas de la historia. La tropa española en La Catalina era un cuarto del tamaño de la fuerza británica y huyó sin resistirse a ellos, pero los británicos ya estaban medio derrotados cuando desembarcaron en Cuba. La fiebre amarilla aún se estaba extendiendo entre las tropas. Enfermos, descorazonados y exhaustos por su reciente derrota, los hombres cojeaban por el campo cubano, ocasionalmente acosados por las guerrillas españolas, sin conseguir nada ni capturar ninguna ciudad importante. Continuaron tropezando sin rumbo alrededor de la isla durante cuatro meses. A principios de diciembre, más de la mitad de los hombres estaban enfermos y Vernon se dio cuenta de que ya había perdido bastante tiempo en Cuba. Abandonaron la isla el 9 de diciembre y volvieron a Port Royal, derrotados a pesar de que no habían tenido oposición.

Sin embargo, los británicos no habían terminado con Cuba todavía. Santiago de Cuba estaba a punto de enfrentarse a otro ataque.

### La batalla de Santiago de Cuba

En 1742, poco después de que los británicos se retiraran de su desastroso intento de invadir Cuba, la guerra de la Oreja de Jenkins se fusionó con la guerra de la Sucesión Austriaca. La archiduquesa María Teresa de Austria estaba lista para heredar los numerosos títulos de su padre. Carlos VI había sido emperador del Sacro Imperio Romano Germánico, archiduque de Austria y rey de Bohemia, Hungría, Serbia y Croacia; ahora que él había fallecido, su hija de fuerte voluntad estaba lista para ponerse en sus zapatos, pero Francia, Prusia y Baviera no querían nada de eso. Estos países alegaron que una mujer no podía tener tal poder. María Teresa se negó a rendirse sin luchar y, junto con Gran Bretaña, la República holandesa, Cerdeña y Sajonia, luchó por su derecho a tener los títulos.

España se unió rápidamente a la lucha del lado de Francia y la desordenada guerra de la Oreja de Jenkins se mezcló con el conflicto aún más extendido que afectaba a la mayor parte de Europa. Sin embargo, esto no trajo de ninguna manera la paz al Nuevo Mundo. Los británicos seguían empeñados en capturar Cuba y otras colonias españolas, por lo que, en 1748, Charles Knowles fue enviado para intentar capturar Santiago de Cuba. Un personaje controvertido y pintoresco, Charles Knowles nació en 1704 y se unió a la marina cuando tenía solo catorce años. Uno de sus primeros puestos fue el del sirviente del capitán a bordo del *HMS Lenox* y fue ascendiendo hasta convertirse en gobernador de Luisburgo en 1746. Tanto como ingeniero y como hábil comandante naval, la variada carrera de Knowles estaba a punto de alcanzar su punto más bajo de todos los tiempos cuando la guerra de sucesión austriaca comenzó a llegar a su fin.

Knowles había estado al mando de las fuerzas británicas en Jamaica desde abril de 1747 y lanzó su primera gran ofensiva en febrero de 1748, al capturar el Fort Saint-Louis-du-Sud en el actual Haití. Apoyado por esta victoria, se dirigió a Santiago de Cuba en marzo y llegó a la costa en la tarde del 28.

El *HMS Plymouth* fue seleccionado para explorar el área antes de comenzar el ataque. El elegante barco navegó hasta la entrada de la ciudad, ayudado por un navegante español que fue hecho prisionero por los británicos. Se vio obligado, bajo amenaza de muerte, a guiar el ataque británico contra su propio pueblo. Con su ayuda, el capitán concluyó que el ataque no sería difícil y regresó a la flota con confianza. Tal vez con un poco de demasiada confianza. Atacaron a la mañana siguiente, conducidos al puerto por el *Plymouth* y abrieron fuego contra las fortificaciones con sus enormes cañones; el *Canterbury* fue particularmente importante aquí, ya que estaba equipado con un mortero de 10" que infligió un daño devastador a la ciudad. Mientras que los otros barcos de la línea se centraban en bombardear las fortificaciones, el *Plymouth* navegaba más cerca de la ciudad, listo para bombardearla con sus sesenta cañones, pero sus esfuerzos se verían frustrados. Con el estruendo de los cañones a su alrededor, su capitán se adentró en el puerto, impulsado por una fuerte brisa marina, según las indicaciones del navegante español. Estaban peligrosamente cerca de la ciudad cuando el capitán del *Plymouth* vio la forma amenazadora de una cadena defensiva que atravesaba el puerto, bloqueando la entrada del *Plymouth*. Atrapado entre las fortificaciones españolas, el *Plymouth* estaba en problemas y su capitán lo sabía. Se apresuró a enviar lanchas para tratar de despejar la cadena, pero ya era demasiado tarde. Los españoles abrieron fuego pesado contra el *Plymouth*, vertiendo municiones en él y haciendo grandes agujeros en sus orgullosas curvas. El timón fue lo primero que cayó; después el mástil principal, con una terrible grieta, se desplomó, y dispersó a los marineros mientras caía. Finalmente, incluso su bauprés quedó completamente destruido, dejando solo restos astillados. El *Plymouth* quedó totalmente incapacitado. Sus pocos supervivientes fueron rescatados por otro barco británico, que los transportó de vuelta a la seguridad del mar en su barco medio destruido.

El *Plymouth* no fue el único que recibió fuego pesado. El precioso buque insignia de Knowles, el *HMS Cornwall*, había perdido la mayor parte de su proa y también tuvo que ser remolcado a un lugar seguro. Cien hombres murieron, doscientos más resultaron heridos y los hermosos barcos quedaron prácticamente destruidos. Una vez más, los británicos tuvieron que dejar Santiago de Cuba con el rabo entre las piernas, sobre todo gracias al pobre liderazgo de Knowles.

La guerra estaba llegando a su fin en Europa. Gran Bretaña y Francia habían hecho las paces, Silesia se había rendido y María Teresa se estaba llevando sus coronas. Se hablaba de paz entre España y Gran Bretaña, aunque no se había terminado nada. Knowles se enfrentaba a la desgracia al final de esta guerra y no le gustaba. Solo tenía una oportunidad de salvación ahora. Tenía que tomar algunos barcos españoles.

## La batalla de La Habana

Al salir de Santiago de Cuba, Knowles sabía que la Flota del Tesoro Español probablemente acababa de salir de La Habana para navegar de vuelta al Viejo Mundo. Aunque tenía pocas esperanzas de atacar la misma Habana, sabía que sería una verdadera bendición si pudiera capturar uno de esos barcos españoles cargados de tesoros. Fijó el rumbo para interceptar la flota y se reunió con el capitán Charles Holmes el 30 de septiembre a bordo del *HMS Lenox*, el mismo barco en el que había comenzado su carrera naval. Holmes había avistado recientemente una flota española y los dos capitanes acordaron lanzar juntos un ataque al estilo de los corsarios.

Mientras tanto, el almirante Andrés Reggio del escuadrón de La Habana patrullaba las rutas marítimas de España para protegerlas de un ataque así. Reggio había estado en La Habana durante nueve años para mejorar sus fortificaciones, pero como nunca se había lanzado un ataque real a la ciudad durante esta guerra, quizás se había vuelto un poco confiado. En cualquier caso, cuando la flota británica vio su escuadrón el 11 de octubre de 1748, se trataba de una multitud desorganizada y totalmente mal preparada para una lucha real. De hecho, cuando Reggio vio los barcos británicos, pensó que eran barcos comerciales españoles y fijó un rumbo directamente hacia ellos en un intento de protegerlos.

Los británicos no podían creer su suerte. Sus enemigos se acercaban directamente a sus regazos. Knowles tuvo también la ventaja de un viento favorable y con el *Canterbury* y el *Warwick* alcanzó los barcos españoles aquella misma tarde. El pacífico océano estalló en un caos de cañonazos. El aire se llenó de humo, aerosoles y astillas mientras que los barcos se bombardeaban con consecuencias devastadoras. Los recién reparados *Cornwall* y *Lenox* tardaron en acudir en ayuda de los demás barcos y solo se metieron en la lucha más de una hora después cuando lanzaron un ataque contra el *Conquistador* español. Dos de sus mástiles quedaron destrozados, dejando al barco casi incapaz de maniobrar. Esto lo dejó completamente vulnerable a los ataques, y el *HMS Strafford* se aprovechó de su debilidad y lo atacó por el costado, vertiendo un devastador número de balas de cañón en su corazón. Pronto sus comandantes murieron y el *Conquistador* tuvo que rendirse.

Los buques insignia de España, *África* e *Invencible*, también estaban en graves problemas. Con el *Conquistador* capturado, *Strafford* y *Canterbury* lanzaron un ataque al *África*, mientras que los otros dos barcos persiguieron al *Invencible* hasta que fue silenciado, con sus cañones inhabilitados. El *Invencible* se escapó; pero el *África* no tuvo tanta suerte. Sus mástiles quedaron completamente destruidos y el barco quedó completamente indefenso y tan dañado que Reggio y su tripulación solo pudieron dirigirlo hacia una pequeña bahía al este de La Habana, donde huyeron del barco y lo volaron para evitar que los británicos lo capturaran.

Al anochecer, el escuadrón estaba disperso; el *Invencible* se alejó a duras penas sin defensas, el *Conquistador* salió derrotado, la bola de fuego que provenía del *África* se reflejaba en el resplandeciente océano mientras su humo se elevaba en el cielo estrellado. Knowles estaba en la posición ideal para aprovechar su ventaja, capturar más barcos y quizás incluso atacar la misma Habana. No está claro por qué exactamente no lo hizo y permitió que la mayor parte del escuadrón escapara. Tal vez sintió que ya había demostrado lo suficiente; tal vez finalmente se dio cuenta de que esta acción era inútil ante la paz que se avecinaba. Sea como sea, ninguno de estos dos razonamientos les sentó bien a los comandantes de Knowles.

A la mañana siguiente, un balandro español interrumpió a los británicos triunfantes con la noticia de que se había firmado un tratado entre Gran Bretaña y España. Knowles dejó a sus prisioneros en Cuba, pero se quedaron con el *Conquistador* y remolcaron su triste premio de vuelta a Port Royal. Los comandantes de Knowles no estaban impresionados. Más tarde, Knowles se enfrentaría a un consejo de guerra por no haber tomado Santiago de Cuba y por no haber obtenido una victoria más decisiva en la batalla de La Habana.

Recibió una reprimenda por sus malas tácticas; al igual que Reggio, quien fue acusado de ser desorganizado cuando los británicos se toparon con su escuadrón.

## La Guerra de los Siete Años

Después de décadas de inquietud y casi diez años de guerra, Europa finalmente se asentó en una tensa apariencia de paz que no duraría mucho. El continente había estado involucrado en varias guerras durante más de un siglo y el problema solo empeoraría antes de mejorar. Finalmente, en 1756, estalló el mayor conflicto que el mundo había visto. Esta guerra se conoce como la guerra de los Siete Años o la Guerra Mundial Cero por su gran escala y la participación de casi todas las grandes potencias del mundo en aquel momento. A Cuba se la dejó sola durante este conflicto, excepto por la joya de su corona, La Habana, que fue asediada y capturada por los británicos en 1762. Después de que la guerra terminara, La Habana regresó al control español a cambio de toda Florida, y la breve ocupación británica resultó ser ventajosa para la economía de la ciudad y el país, ya que se mejoró su comercio. La guerra de los Siete Años y el asedio de La Habana se describen con más detalle en el libro *Historia de La Habana: una guía fascinante de la historia de la capital de Cuba desde la llegada de Cristóbal Colón a Fidel Castro.*

# Capítulo 5. El Grito de Yara

David Turnbull había odiado La Habana, pero esto era mucho peor.

El escocés había viajado por todo el mundo desde que fue nombrado corresponsal extranjero del Times en Londres. Había visitado París, Bruselas, Madrid, La Haya y ahora estaba en Cuba desde hace unos años, tras ser nombrado cónsul británico allí. Estacionado en la capital, Turnbull había pasado gran parte de su tiempo deambulando por los mercados de esclavos y las prisiones, interrogando a los dueños de esclavos y tratando de revelar los horrores de aquel comercio. Creía en la abolición con una ardiente determinación que le había llevado al otro lado del mundo, a un país donde la esclavitud era todavía legal y lo que encontró allí le disgustó. Barracones llenos de adolescentes desconcertados recién llegados de África. A los esclavos se les ataba a postes de látigo y se les azotaba hasta que sangraran, por la más mínima infracción. Y si no había transgresiones, a veces los esclavos eran azotados de todos modos, solo para «mantener la autoridad de su amo».

Todo aquello le repugnaba, pero nada le había preparado para las plantaciones de azúcar. Nunca antes había sido testigo de tales maltratos, ni siquiera en las plantaciones británicas. Los asfixiantes barracones, las ridículas horas, los incesantes azotes y la crueldad interminable alimentaban el fuego y él sabía que tenía que hacer algo al respecto. Tenía que conseguir que los españoles dejaran de lado su control letal sobre el comercio de esclavos.

## La Escalera

David Turnbull fue nombrado cónsul británico en 1840, pero solo duró dos años en Cuba antes de que las autoridades españolas descubrieran que estaba provocando una revuelta de esclavos y lo echaran del país. Aun así, las semillas de la rebelión habían sido plantadas y Cuba era un suelo fértil.

No solo España era uno de los últimos imperios que se aferraba al comercio de esclavos, sino que los propios cubanos se estaban inquietando por el control español. Su país estaba prosperando y el mundo estaba despertando ante los horrores de la esclavitud, lo que hacía que los ciudadanos cubanos empezaran a rechazar el comercio también. El gobierno colonial oprimía a todos los ciudadanos nacidos en Cuba y la mayor parte de la prosperidad de Cuba volvía directamente a España; una décima parte de la población obtenía nueve décimas partes de la riqueza del país. Incluso los cubanos nacidos en España estaban sintiendo la presión. Esencialmente, el conflicto surgió entre los españoles que habían inmigrado a Cuba, y todos los nacidos en Cuba y los esclavos.

Cuba había estado inquieta durante décadas. El primer levantamiento real de 1826 abrió los ojos españoles a la verdadera infelicidad que se estaba gestando y al hecho de que no eran solo los esclavos los que querían liberarse de sus cadenas. Andrés Manuel Sánchez era un mulato, pero el otro líder del levantamiento, Francisco de Agüero, era tan blanco como los españoles. Ambos fueron ejecutados y la sublevación fue aplastada antes de que pudiera ir más allá de las etapas de planificación, pero hizo evidente una verdad: tanto los esclavos como los libres estaban cansados del control español. La rebelión se estaba gestando y la corona española estaba aterrorizada por ello, pues sabía que, con negros, mulatos e incluso cubanos blancos unidos, a los españoles se les podía superar en número. Así que, en 1843 y 1844, tomaron medidas duras.

Pequeños levantamientos se estaban produciendo en toda la isla a partir de marzo de 1843, sobre todo en las plantaciones de azúcar. Los esclavos inquietos se levantaban contra sus amos, abrumando a sus capataces por la fuerza de los números y cargaban desarmados contra los que se les oponían; a algunos les ayudaban personas libres, lo que les hacía aún más poderosos. Estas revueltas se frenaban, pero la regularidad con la que aparecían hacía que las autoridades españolas se dieran cuenta. Las fuerzas arrestaban a los esclavos rebeldes, a los testigos y a otros sospechosos, y luego los torturaban para obtener información. Así es como la conspiración que descubrieron fue nombrada: por su método de tortura. A los sospechosos se les empujaba contra una escalera, se les ataba a ella y después se les azotaba hasta que confesaban o decían cualquier mentira que los españoles quisieran oír. La conspiración se llamaba «La Escalera».

David Turnbull ya estaba a salvo en Gran Bretaña cuando los españoles lo acusaron de ser el líder de la conspiración. Pero los esclavos de las plantaciones sufrieron tanto que 1844 fue llamado el año del látigo. Los aterrorizados dueños de esclavos trataban a sus esclavos con más dureza que nunca. A los abolicionistas blancos se les veía con miedo y sospecha; a los negros libres, ya oprimidos bajo la estructura social actual, les ocurría esto aún más. La tiranía española estaba destruyendo vidas y había que ponerle fin.

Pero no fue un esclavo ni siquiera un abolicionista quien inició la larga y dura lucha de Cuba por su independencia. La inició el dueño de una plantación.

Francisco Vicente Aguilera era el hombre más rico del este de Cuba, poseía cientos de hectáreas de tierra fértil, campos de caña, ganado y, por supuesto, esclavos. Aguilera se hizo conocido rápidamente por no haber comprado nunca un esclavo en su vida; los esclavos que tenía eran todos los que había heredado de su padre y, sin que ellos lo supieran, pronto serían liberados. Aguilera estaba planeando una rebelión. Usó su influencia en secreto en sus círculos, persuadiendo a otros hombres poderosos, la mayoría dueños de plantaciones, para que se unieran a su conspiración para rebelarse contra los españoles.

Uno de estos hombres, que se convertiría en el rostro de la revolución, era un propietario de plantaciones y abogado llamado Carlos Manuel de Céspedes.

## El Grito de Yara

Era una mañana templada en el otoño tropical cubano y los esclavos de Le Damajagua permanecían pacientemente en su barracón, esperando que sonara la campana y los arrastrara de vuelta al trabajo en el molino de azúcar. Aunque trabajar aquí no había sido tan malo últimamente; había pocos azotes, buena comida y una bondad inesperada. Incluso habían empezado a oír los rumores de libertad que habían estado volando alrededor de la isla, aunque muchos de ellos estaban más preocupados por las historias de levantamientos que fueron violenta y horriblemente aplastados. Algunos de los esclavos todavía recordaban historias del Año del Látigo de hace veinticuatro años. Pocos de ellos lo habían experimentado realmente —los esclavos del azúcar no vivían lo suficiente para eso— pero el terror que les causaba aún resonaba.

Finalmente, sonó la campana. Los esclavos salieron mansamente de su barracón y se dirigieron al frente del molino de azúcar, parpadeando bajo la luz del sol. Su amo, Céspedes, esperaba en las escaleras del molino de azúcar. El aire estaba cargado de emoción y los esclavos se colocaban en sus lugares con dudas, mirando la hoja de papel que había sido clavada en la puerta del molino. Gente que no conocían estaba reunida alrededor y una bandera que no reconocían estaba izada sobre el molino. ¿Qué estaba pasando?

Los esclavos se quedaron mirando a su amo, esperando que él les diera sus órdenes. Algunos adivinaron lo que estaba pasando y temblaron de esperanza; otros, de miedo. Céspedes les dedicó una amplia sonrisa, sin duda emocionado. Sus siguientes palabras llegaron directamente al corazón de los esclavos.

Él los estaba liberando a todos. Todos eran libres.

Los esclavos estaban llenos de júbilo, llorando, aturdidos por esta noticia. En medio de la emoción, Céspedes proclamó su manifiesto, que había sido firmado por él y otros quince independentistas. El manifiesto hablaba de libertad e igualdad; buscaba la abolición total de la esclavitud y una constitución justa que otorgara derechos a todos los cubanos, sin importar su patrimonio o lugar de nacimiento. Céspedes reunió a otros propietarios de plantaciones y a sus esclavos para que lucharan junto a él y, llevados por una marea de esperanza, marcharon hacia la cercana Yara el 11 de octubre de 1868.

## Comienza la Guerra de los Diez Años

La guerra comenzó, y casi terminó, en Yara. La pequeña ciudad se deslizó entre los dedos de la pequeña fuerza rebelde y los españoles se relajaron un poco, pensando que la rebelión había sido aplastada tan fácilmente como las anteriores. Pero no iba a ser así. Sin perder el impulso, los rebeldes pusieron sus ojos en Bayamo, una ciudad más grande y mucho más importante. Para el 14 de octubre, Bayamo había caído y los rebeldes habían tomado el control de la misma. El actual himno nacional de Cuba, La Bayamesa, fue escrito en Bayamo después de esta victoria.

Con Bayamo en manos rebeldes, el ejército español se vio obligado a tomarlos en serio. Más aún cuando ciudad tras ciudad en la provincia de Oriente comenzó a unirse a la rebelión, al rebelarse contra sus habitantes españoles y al alzarse en armas contra sus opresores. Primero llegó Camagüey en noviembre de 1868, luego Las Villas en febrero de 1869. Aunque las regiones occidentales como La Habana no se unieron a la revolución, esta se extendió como un incendio forestal por el este, y el movimiento rebelde comenzó a ganar fuerza y número a una velocidad que aterrorizó al ejército español. Se hicieron algunos intentos de negociar con los rebeldes, pero todos fueron en vano. En 1869, comenzaron a librar una guerra abierta que no se centraba tanto en la victoria como en el exterminio. No hubo juicios justos ni se dio cuartel. Los rebeldes eran ejecutados inmediatamente si eran arrestados, todos los pasajeros de los barcos que eran sorprendidos llevando armas —generalmente de los otros rebeldes y exiliados en los Estados Unidos— eran asesinados a la vez, y se establecían estrictos toques de queda, siempre impuestos por la muerte. Miles de mujeres y niños eran enviados a brutales campos de concentración. Los españoles buscaban razones para matar, pero lejos de asustar a los insurgentes para que guardaran silencio, sus nuevas políticas solo fueron combustible para el fuego.

En abril de 1869, el movimiento había crecido hasta el punto de que se celebró una reunión en Camagüey para organizar su ejército y gobierno de una manera más eficiente. Céspedes fue elegido como su líder, el primer presidente de la República de Cuba en armas y Manuel de Quesada fue el jefe de las Fuerzas Armadas. Dirigida por estos hombres, la guerra de guerrillas comenzó en serio. Armados con machetes, caballos, algunas armas de fuego y la determinación de hombres que querían la libertad o la muerte, los independentistas se conocieron como los Mambises, llamados así por un soldado negro español que desertó al bando rebelde durante la lucha por la independencia de la República Dominicana. Originalmente el término era un insulto racial, pero los combatientes lo adoptaron y lo llevaron con orgullo.

A medida que la guerra continuaba, los rebeldes ganaban fuerza. En el pico de la lucha en 1872, había unos 40.000 rebeldes en la fuerza. Estaban mal alimentados y mal armados, pero continuaron su lucha contra el ejército español a pesar de las horribles atrocidades cometidas por España. Además de la interminable matanza en la guerra, los inocentes eran asesinados sin motivo, generalmente por los dos grupos de Cuerpos Voluntarios; un ejemplo sería la horrible masacre de ocho estudiantes universitarios en La Habana. Los estudiantes no habían participado en el levantamiento, pero fueron asesinados para que los españoles mostraran su crueldad y autoridad.

## La muerte de Céspedes

Céspedes siguió siendo la figura de la guerra hasta 1872, cuando Ignacio Agramonte, uno de sus generales más importantes, murió en la batalla. En la creciente presión de la guerra, los problemas se estaban gestando también dentro de la república en armas. Esto finalmente culminó en repercusiones personales y políticas en relación con su constitución, lo que finalmente dio lugar a que Céspedes quedara destituido.

Lejos de desanimarse por la forma en la que había sido tratado, Céspedes decidió que podía ayudar mejor a Cuba utilizando otra táctica: viajar a los Estados Unidos para conseguir más armamento y hombres para enviar a Cuba. La República le negó el permiso, dejándolo atrapado en un país donde ya no tenía aliados. Escondido en un refugio de montaña, solo tenía un escolta para protegerlo y eso no era suficiente. En febrero de 1874, Céspedes murió asesinado por las tropas españolas.

Al parecer, su destitución fue un error del gobierno rebelde porque la guerra fue cuesta abajo a partir de ahí. Después de su muerte, la guerra se limitó a las provincias orientales donde había comenzado a declinar a medida que los recursos superiores españoles agotaron a los mambises. Cuando la Tercera Guerra Carlista en España terminó en 1876, 250.000 soldados fueron enviados a Cuba y la rebelión terminó por completo. El gobierno se disolvió en 1878 y se firmó el Pacto de Zanjón, con el que se concluyó la guerra. El pacto sirvió de poco a los rebeldes. Hizo pocas concesiones, liberó solo a los esclavos que habían luchado en la guerra, no dio ningún paso hacia la independencia y restableció el férreo control de España sobre la isla.

La mayoría de los Mambises huyeron al exilio a los Estados Unidos, pero aún no habían terminado. Se estaba planeando otro levantamiento.

## La Guerra Chiquita

Uno de estos líderes rebeldes fue Calixto García. Era solo un adolescente cuando se unió al levantamiento que floreció en la guerra de los Diez Años y para cuando terminó, era el segundo al mando del ejército rebelde. Tras huir a la ciudad de Nueva York después del Pacto de Zanjón, García no había terminado con la independencia todavía. En agosto de 1879, dieciocho meses después de que terminara la guerra de los Diez Años, García regresó a Cuba. Reunió a un puñado de revolucionarios y lanzó otro levantamiento, pero este cayó muy rápido. El pueblo estaba harto de luchar; muchos concluyeron que incluso la opresión era mejor que la guerra y pocos se unieron a la lucha. Los recursos también estaban en su punto más bajo en una isla que había sido tan agotada por una década de guerra. La Guerra Chiquita fue una triste lucha que terminó casi antes de empezar. Uno por uno, los esperanzados rebeldes tuvieron que rendirse, hasta que todos fueron derrotados en septiembre de 1880.

## La abolición al fin

Aunque la independencia parecía imposible después de la terrible derrota de la Guerra Chiquita, muchas voces seguían clamando por la abolición. En 1880, la corona española finalmente cedió. Se aprobó una ley que abolió la esclavitud, aunque para muchos esclavos no había mucha diferencia en sus vidas, ya que todos los esclavos que no habían luchado en las guerras seguían obligados a trabajar para sus amos en un contrato de servidumbre con poca o ninguna remuneración durante los ocho años siguientes. Teniendo en cuenta la corta vida de los esclavos del azúcar, esto significaba que muchos esclavos morirían sin saborear la libertad que la ley les había «concedido».

Sin embargo, no terminaron sirviendo los ocho años completos. En 1886, la esclavitud fue completamente abolida por fin. El azúcar y el tabaco de Cuba ya no se fabricaban con sangre. La población negra todavía era rechazada en general y no se le daban las mismas oportunidades que a los demás, pero al menos tenía algo de libertad. Y después de trescientos años y muchas generaciones de esclavitud, la libertad tenía un sabor muy dulce.

# Capítulo 6. Libertad

*Yo sueño con los ojos*

*Abiertos, y de día*

*Y noche siempre sueño...*

Poema «Sueño despierto» de José Martí

José Martí había soñado con una Cuba independiente desde su adolescencia. Solo tenía dieciséis años cuando sus poemas aparecieron en la prensa; algunos eran la típica poesía de amor de la época, pero otros resonaban con patriotismo y clamaban por la libertad. Nunca hubo duda de que Martí tenía talento y eligió utilizarlo para promover la causa de la independencia de Cuba.

Durante la guerra de los Diez Años, Martí publicó y escribió para La Patria Libre, un periódico pro-cubano que apoyaba la causa rebelde. Fue arrestado en 1869 y deportado a España en 1871. Solo regresó a Cuba en 1878, después del fin de la guerra.

Sin embargo, no pudo permanecer en su tierra natal durante mucho tiempo. Durante la Guerra Chiquita, fue arrestado una vez más por conspiración y obligado a huir del país, para finalmente establecerse en la ciudad de Nueva York en 1881. Pero aún no había terminado con Cuba. Martí estaba planeando otro levantamiento y —

con las lecciones aprendidas de la guerra de los Diez Años y la Guerra Chiquita— confiaba en que esta vez podrían tener éxito.

## La tregua de recompensa

Después de la Guerra Chiquita, Cuba entró en una era de cambio económico. Con tantos esclavos liberados, la industria azucarera se vio obligada a cambiar de manera significativa. El número de plantaciones disminuyó; tuvieron que ser dirigidas más eficientemente y por eso las plantaciones más grandes y exitosas crecieron y prosperaron, mientras que las más pequeñas que habían dependido de la mano de obra esclava se extinguieron gradualmente. La clase media urbana creció, al igual que la clase trabajadora, con la adición de tantos esclavos liberados.

Los Estados Unidos comenzaron a darse cuenta de las riquezas de Cuba y los ciudadanos estadounidenses empezaron a invertir en tierras cubanas, en particular en las plantaciones de azúcar y tabaco. La isla se volvió tan importante para la economía de los Estados Unidos que se habló de la anexión de Cuba por parte de los Estados Unidos. Ya habían tomado Hawái y existía el peligro de que le ocurriera lo mismo a Cuba.

Pero Martí se negó a ello. Mientras trabajaba en Florida y en otras partes del sur de los Estados Unidos, estaba reuniendo a los líderes rebeldes exiliados. Exigía un intento más de entregar Cuba al único pueblo que creía que tenía derecho a ella: a los propios cubanos.

## Guerra de Independencia cubana

El día de Navidad de 1894 tres barcos salieron desde Florida hacia Cuba. Cada uno de ellos estaba completamente lleno de soldados y de armas, pero solo uno de ellos llegó a Cuba. Los otros dos fueron detenidos por las autoridades estadounidenses. Uno de los barcos pasó y se dirigió hacia la isla.

La guerra se declaró oficialmente el 24 de febrero de 1895. El 25 de marzo, Martí presentó su política para la guerra en la forma del Manifiesto de Montecristi. Basado en el Grito de Yara, llamaba a una guerra que tratara a la isla y a su gente con respeto, incluso a aquellos españoles que no se opusieran al esfuerzo bélico. El Manifiesto también fomentaba la igualdad entre razas, al afirmar que la participación de los negros era esencial para la victoria. Terminaba con unas palabras rotundas: «Sobre los hombros del negro, la república de Cuba se ha movido segura». Pero Martí no sabía que la guerra sería devastadora para la isla, su economía y su pueblo.

Inspirada por las palabras de Martí, Cuba respondió con una fuerza y un número que nadie esperaba. Cuando él y otros líderes mambistas llegaron a Cuba en abril de 1895, se encontraron con una isla en caos. Los rebeldes habían tomado Santiago de Cuba, Guantánamo, Baire y otras ciudades; la mayoría de los cubanos apoyaban la causa rebelde, pero había un problema enorme. Después de la guerra de los Diez Años, las autoridades españolas habían prohibido la posesión de armas. Los rebeldes tuvieron que conformarse con lo poco que podían traer de contrabando de los Estados Unidos y se vieron obligados a emplear las mismas tácticas de guerrilla que Hatuey y sus hombres habían utilizado hace siglos.

España se sorprendió por el repentino y fuerte levantamiento. El ejército español en la isla se incrementó de unos 80.000 a unos 300.000 efectivos, cifra muy superior a la de los rebeldes. Se construyó una trocha —un amplio cinturón defensivo— a lo largo de la isla en un intento de mantener a los rebeldes en el este; las guerras anteriores habían fracasado debido a la incapacidad de los rebeldes para atacar el lado oeste de la isla y tomar La Habana. La trocha se construyó con alambre de púas y trampas explosivas en puntos estratégicos. La táctica había tenido éxito durante la guerra de los Diez Años, pero los comandantes cubanos ya estaban familiarizados con la trocha y se habían preparado para ella. Esta solo sirvió para frenarlos, no para detenerlos.

La muerte de Martí a finales de 1895, durante una acalorada batalla con los españoles, hizo poco para frenar a los rebeldes. En cambio, la heroica muerte de su líder solo parecía incitarlos a mayores esfuerzos. A principios de 1896, habían invadido todas las provincias de la isla. España respondió con la sustitución del general Arsenio Martínez-Campos y Antón por el general Valeriano Weyler, un hombre cuya extrema crueldad le valdría el apodo de «El Carnicero».

A Weyler se le dio rienda suelta para hacer lo que quisiera para aplastar la insurrección e inmediatamente empezó a jugar sucio. Sacó a la pacífica población rural del campo, la instaló en campos de concentración y destruyó sus cultivos y ganado, un proceso conocido como reconcentración. Entre las enfermedades que se propagaron tan rápidamente por los campos y la hambruna causada por esta destrucción sin sentido, se estima que Weyler causó la muerte de alrededor de un cuarto de toda la población de la isla.

A su táctica le salió el tiro por la culata. La población cubana, disgustada por sus acciones, se volvió contra el ejército español. A pesar de su gran número, el ejército se encontró a la defensiva mientras luchaba por encontrar cualquier apoyo de los cubanos y se le odiaba dondequiera que fuera. Los rebeldes todavía no podían conseguir suficiente armamento, ya que tanto España como los Estados Unidos impedían que los barcos con armas llegaran a Cuba, pero sus tácticas de guerrilla funcionaban. Para 1897, la fuerza rebelde, una décima parte del tamaño del ejército español, controlaba la mayor parte de la isla. Celebraron una asamblea en La Yaya el 10 de octubre de 1897 en la que adoptaron una constitución y nombraron presidente a Bartolomé Masó. Masó había sido parte de la rebelión desde el Grito de Yara y fue vicepresidente desde 1895.

Agotada económicamente al intentar aplastar otro levantamiento en Filipinas y al mismo tiempo luchar en la guerra de Cuba, España se vio obligada a empezar a cambiar su gobierno en un intento de aplacar a los cubanos. También estableció una nueva constitución y envió nuevos líderes a La Habana. Más importante aún, reemplazó a Weyler y puso fin a la reconcentración. Pero esto no fue suficiente.

Solo la independencia serviría y los rebeldes estaban dispuestos a luchar hasta que se lograra la independencia por cualquier medio.

## La intervención americana

En enero de 1898, la propia La Habana estaba en caos. Los disturbios estallaron por toda la ciudad cuando los partidarios de los españoles protestaron contra el nuevo gobierno y quemaron las imprentas contrarias al ejército español que anunciaban sus atrocidades. La violencia fue tal que los Estados Unidos enviaron uno de sus recién estrenados buques de guerra, el *USS Maine*, para anclar en el puerto en un intento de disuadir a los alborotadores de hacer daño a cualquier ciudadano americano.

Los Estados Unidos habían seguido la guerra en Cuba con interés. Aunque la Guardia Costera de los EE. UU. había impedido que los barcos llegaran a los rebeldes con armas, los periódicos publicaban historias sobre la nobleza rebelde y la atrocidad española, la mayoría de ellas exageradas. La opinión pública ya estaba presionando para que los Estados Unidos intervinieran en apoyo de los rebeldes, por lo que los americanos en La Habana podían tener buenas razones para estar nerviosos. Pero el majestuoso *Maine* era más que suficiente como elemento disuasorio; a los americanos se les dejó en paz.

Al menos, se dejó en paz a los que estaban en tierra. En la tarde del 25 de febrero, el *Maine* explotó. Casi trescientos de sus tripulantes murieron en el acto y el poderoso buque de guerra se hundió en el puerto de La Habana. Para más información sobre la explosión, consulte el libro *Historia de La Habana: una guía fascinante de la historia de la capital de Cuba desde la llegada de Cristóbal Colón a Fidel Castro.*

La prensa americana se volvió loca. Mediante el uso de la prensa amarilla, dos periódicos americanos, New York World y New York Journal, compitieron entre sí para contar la historia más sensacional, fuera o no totalmente cierta. Las cosas solo empeoraron cuando las autoridades estadounidenses concluyeron que el *Maine* había sido volado por una mina, probablemente plantada allí por los españoles. A pesar de las declaraciones españolas de que no era así, la indignación pública obligó a los Estados Unidos a declarar la guerra. Los Estados Unidos eran todavía una potencia relativamente nueva, recién salida de la guerra civil americana que aún no se había probado en la guerra internacional; los americanos deseaban flexionar sus nuevos músculos y la explosión del *Maine* les proporcionó la oportunidad perfecta.

El pueblo americano pedía a gritos la guerra, pero el presidente William McKinley se mostró reacio. Sin embargo, bajo la presión pública, declaró la guerra en abril de 1898, una guerra que sería conocida como la guerra hispano-americana. El ejército no estaba preparado a principios del año, ya que solo contaba con 25.000 hombres, pero el *Maine* cambió todo eso; unos 100.000 voluntarios se alistaron al día siguiente de la explosión.

El 22 de junio, las primeras tropas americanas llegaron a Cuba, al este de Santiago. Los rebeldes cubanos les dieron la bienvenida, les proporcionaron protección y les enseñaron sus tácticas de guerrilla. A pesar de perder la batalla de Las Guasimas el 24 de junio cuando los españoles les sorprendieron en una emboscada, los americanos siguieron adelante con su objetivo principal: Santiago de Cuba. Pero era imposible tomar esta ciudad por las fuerzas terrestres. Se necesitaría una batalla naval para su conquista y, el 3 de julio, esto fue exactamente lo que hicieron los americanos.

### La batalla de Santiago de Cuba

El almirante Pascual Cervera estaba atrapado y lo sabía.

Nunca estuvo de acuerdo con esta guerra en primer lugar. Sus muchos años de leal servicio en la Armada le decían que España no podía ganar la guerra contra los Estados Unidos de ninguna manera; los barcos estadounidenses eran muy superiores, sus hombres estaban mejor alimentados y su economía no estaba tan agotada por décadas de guerra como la de España. Pero cuando se le ordenó ir, no tuvo más remedio que hacerlo y llevó su flota de barcos a Santiago de Cuba para una batalla que sabía que sería en vano. ¿Qué otra cosa podía hacer? Era un soldado y lo que hacía era seguir órdenes. Aun así, le dejó un sabor amargo en la boca ser un blanco fácil en el puerto de Santiago, a sabiendas que estaba a punto de sacrificar las vidas de sus hombres en una batalla que confiaba en que no podrían ganar.

Los comandantes americanos, el contralmirante William T. Sampson y el comodoro Winfield Scott Schley, ya habían establecido un bloqueo de media luna cerca del canal de la bahía. Cervera no tenía salida, pero esperaba que sus comandantes le permitieran al menos intentar retirarse de la bahía y entrar en aguas abiertas, donde algunos de sus barcos tuvieran la oportunidad de escapar. Su flota estaba poco armada y sabía que luchar contra los americanos en la propia bahía iba a ser una muerte segura. Tal vez si pudieran llegar a mar abierto, al menos algunos de ellos podrían escapar. Su mayor esperanza era su nuevo barco, el *Cristóbal Colón*. Estaba bien equipado y era rápido, llevaba una carga de carbón de Cardiff que esperaba que le ayudara a superar incluso a los mejores de América.

Por fin, el 2 de julio, Cervera recibió la noticia del general Ramón Blanco y Erenas que le ordenaba que intentara escapar de Santiago. Cervera sabía que eso sería casi imposible. Aun así, tenía que intentarlo. Escapar por la noche proporcionaría protección contra los americanos, pero navegar por la bahía en la oscuridad sería un peligroso error, así que el domingo por la mañana a las nueve — mientras los soldados americanos estaban ocupados con la iglesia a bordo de sus barcos— Cervera intentó escapar. Uno por uno ordenó a los barcos españoles que salieran del puerto, liderando el camino a bordo de su buque insignia, el *Infanta María Teresa*. A las 9:31, se encontraban todavía muy cerca y los estadounidenses abrieron fuego inmediatamente. Cuatro barcos de guerra americanos comenzaron a disparar contra la flota española, rompiendo la paz de la mañana del domingo; el vapor blanco que salía de las máquinas de los barcos se oscureció por el humo negro del alquitrán, mientras que ambos bandos comenzaban a sufrir daños. A pesar de una cierta confusión inicial, ya que los barcos estadounidenses casi chocaban entre sí y enmascaraban el fuego del otro, pronto el *USS Iowa* consiguió clavar dos tremendos proyectiles de 12 pulgadas en el *Infanta María Teresa*.

Más fuego provino de las fortificaciones a lo largo del canal, apoyando a los españoles en su desesperada carrera por la libertad. El *Cristóbal Colón* vertió fuego en el *Iowa*, ralentizándolo, mientras los otros barcos españoles navegaban hacia el oeste tan rápido como podían. El *Iowa* fue frenado, pero no incapacitado; se enfrentó a uno de los barcos de la retaguardia de la línea española, al *Almirante Oquendo*. Los barcos más importantes observaron la brecha y fueron a por ella con toda la velocidad posible y la flota americana les persiguió inmediatamente.

Para que sus hombres tuvieran tiempo de escapar, Cervera dio la vuelta al *Infanta María Teresa* y atacó al barco americano más cercano, al *Brooklyn*. Fue una lucha unilateral que Cervera sabía que no podía ganar, pero mientras los cañones del *Brooklyn* destrozaban su buque insignia, esperaba que los otros barcos pudieran escapar. Fue una apuesta costosa; uno de los primeros disparos destrozó el cañón de fuego del *Infanta María Teresa*, con lo que se destruyeron sus sistemas de control de fuego y las llamas se apoderaron del barco de guerra.

El *Almirante Oquendo* no salió mucho mejor parado. Cincuenta y siete impactos directos hicieron que la nave quedara suspendida; cuando uno de sus propios proyectiles detonó antes de que pudiera disparar, su tripulación voló en pedazos. Su capitán moribundo hizo que se hundiera.

A las 10:35, la tripulación del *Infanta María Teresa* estaba muerta y el barco estaba casi destruido. En un intento por salvar al puñado de hombres que quedaban, Cervera lo encalló al mismo tiempo que sacó de la lucha al *Almirante Oquendo*. Los dos destructores españoles fueron destruidos no mucho después y la mayoría de sus hombres murieron; su otro crucero blindado, el *Vizcaya*, luchó con valentía contra el *Brooklyn* durante una hora antes de que él también se viera obligado a encallar. Solo quedaba el *Cristóbal Colón*. Era tan nuevo que ni siquiera tenía una torreta principal, solo cañones secundarios, así que todo lo que podía esperar era escapar. Solo un barco americano, el *Oregón*, podía aspirar a seguirle el ritmo y se puso a navegar enérgicamente tras el barco español. Fue una carrera de vida o muerte a mar abierto, una que el *Cristóbal Colón* casi ganó. Pero finalmente, a medida que pasaba la tarde, se le acabó el carbón de calidad de Cardiff y se vio obligado a usar las pobres reservas de la Cuba devastada por la guerra.

El *Oregón* casi lo había alcanzado cuando el capitán del *Cristóbal Colón* decidió que no podía escapar y que nunca ganaría una batalla directa con los barcos americanos. Huir era imposible; luchar sería una pérdida inútil de vidas. Se rindió y, a pesar de los esfuerzos por hundirlo, *Cristóbal Colón* quedó capturado por los americanos.

A pesar de los esfuerzos de los EE. UU. por rescatar a tantos sobrevivientes como pudieran, casi un cuarto de los hombres de la flota española murió. De los americanos, solo uno no sobrevivió.

**Por fin independientes**

Ayudados por su poderoso vecino, los rebeldes cubanos continuaron presionando al ejército español y la guerra era ahora tan unilateral como lo había sido la batalla de Santiago. Aunque la mayoría de los americanos finalmente tuvieron que evacuar debido a un devastador brote de fiebre amarilla, las victorias americanas tanto en Cuba como en Puerto Rico habían diezmado la fuerza española. Después de solo diez semanas de conflicto, España pidió la paz. Por fin la lucha había terminado.

Los Estados Unidos seguirían ocupando Cuba mientras los rebeldes establecieran su gobierno. Además, los cubanos fueron casi totalmente expulsados de las conversaciones de paz de los Estados Unidos con España, mientras que el consiguiente tratado de paz impidió que Cuba estableciera otras alianzas extranjeras que no fueran con los Estados Unidos y concedió a los Estados Unidos el derecho de establecer una base naval en la bahía de Guantánamo. Pero parecía que la intervención americana había valido la pena, porque el 20 de mayo de 1902 se hizo oficial: Cuba solo se pertenecía a sí misma. La batalla estaba ganada.

# Capítulo 7. Por fin independientes

El 1 de enero de 1899, después de que el último de los soldados españoles abandonara Cuba, el americano John R. Brooke, que había sido general de la Unión en la guerra civil americana, fue nombrado gobernador temporal de Cuba. La Enmienda Teller impidió la anexión de Cuba por parte de los Estados Unidos —algo que ocurrió en Puerto Rico y Filipinas después de la guerra hispano-americana— pero muchos americanos todavía podían usar algunos resquicios legales para adquirir tierras en Cuba. El país quedó diezmado por la guerra y la pobreza; la tierra era barata y los inversores americanos vieron su oportunidad. En pocos años, los Estados Unidos prácticamente se habían apoderado de la industria azucarera cubana.

Sin embargo, Cuba estaba lejos de convertirse en una colonia americana. En 1900, se celebraron sus primeras elecciones locales. Estas todavía no eran iguales y libres; aunque no había restricciones de raza, solo se permitía votar a los hombres mayores de 20 años y, aun así, solo si eran alfabetizados y poseían al menos 250 dólares de propiedad. En ese momento, la población de Cuba era de más de un millón y medio de habitantes; solo 150.000 tenían derecho a votar. Estas limitaciones las impusieron las administraciones estadounidenses, que esperaban obligar a los partidos pro-estadounidenses a asumir el cargo.

Su intento fracasó. Los gritos de los héroes revolucionarios aún resonaban en los oídos de todos los cubanos, incluido el limitado puñado al que se le permitió votar, y el Partido Nacional Cubano —un fuerte movimiento independiente— ganó gran parte de las elecciones.

Las elecciones presidenciales también estuvieron un tanto manipuladas. Solo había dos candidatos a la presidencia: Bartolomé Masó y Tomás Estrada Palma. Masó ya había sido presidente durante la revolución, pero la administración americana lo encontró independiente y con opinión, por lo que se inclinó por el más manso Palma. Enfurecido por este trato especial, Masó renunció a su candidatura y Palma se convirtió en el primer presidente de Cuba por defecto. La República de Cuba se le entregó oficialmente el 20 de mayo de 1902.

### Independencia intranquila

El pueblo cubano acababa de sufrir décadas de guerra para ganar su libertad. Se sospechaba inmediatamente y por completo de cualquiera que insinuara una dictadura o tiranía, y esto se hizo evidente en 1906.

La primera presidencia de Palma fue pacífica; fue cuidadoso con el dinero y mejoró la infraestructura en toda la isla, aunque muchos lo acusaron de ser demasiado dependiente e indulgente con los Estados Unidos. Había aceptado la Enmienda Platt, que otorgaba a los Estados Unidos derechos exclusivos de alianza con Cuba y el derecho de intervenir militarmente si el tratado de paz se veía amenazado, lo cual no le cayó bien a muchos cubanos. Así pues, cuando Palma intentó prolongar su presidencia en 1906 en contra de la constitución, el pueblo se rebeló y el ejército de los Estados Unidos intervino para pacificar al pueblo y celebrar las primeras elecciones presidenciales verdaderamente libres y justas en 1908. Esta pauta de buenos primeros mandatos presidenciales seguida de intentos de extenderlos y de revueltas del pueblo pacificadas por los Estados Unidos continuaría durante los siguientes años. Puede encontrar más información sobre este tiempo de disturbios en el libro: *Historia de La Habana: una guía fascinante de la historia de la capital de Cuba desde la llegada de Cristóbal Colón a Fidel Castro.*

Para el cubano promedio, sin embargo, la vida ciertamente mejoró en la isla. Aunque los inversores extranjeros tenían la mayor parte del poder, la infraestructura mejoró mucho y, a pesar de las pequeñas revueltas ocasionales, la violencia disminuyó de forma considerable. El pueblo cubano pudo empezar a recuperarse después del horror de la guerra de la Independencia.

### Cuba y la Primera Guerra Mundial

A medida que Cuba comenzaba a encontrar sus pies como país, el mundo perdía el control de la paz. Mario García Menocal, que había sido un líder militar durante la guerra de la Independencia, era presidente cuando estalló la Primera Guerra Mundial en 1914. Al principio, mientras intentaba suavizar las cosas dentro de su propio país, Menocal mantuvo a Cuba neutral, algo que la mayoría de los países latinoamericanos eligieron hacer mientras durara la guerra. Ya tenía suficiente con lo que lidiar en casa. Como los otros presidentes anteriores, Menocal fue reelegido en 1916 y el antiguo presidente, José Miguel Gómez, lideró un levantamiento armado contra él conocido como La Chambelona. La sublevación no tuvo éxito y, mientras la Primera Guerra Mundial estaba en marcha, Menocal mantuvo su puesto.

La economía cubana experimentó una mejora durante la presidencia de Menocal, en parte debido a las altas exportaciones de azúcar; para 1917, este país era el mayor exportador de azúcar del mundo y, en una época en la que el azúcar escaseaba debido a la guerra, esto no constituía una hazaña insignificante. La mayor parte de este azúcar se destinaba a los Estados Unidos, de los que la economía cubana dependía fuertemente. Así que, cuando los Estados Unidos le declararon la guerra a Alemania en 1917, Cuba no tuvo otra opción que seguir. Los barcos alemanes en el puerto de La Habana se capturaron de inmediato y se entregaron a los Estados Unidos para que los usaran como quisieran; 25.000 soldados estaban preparados para su envío a Europa, pero la guerra terminó antes de que pudieran abandonar la isla. Sin embargo, se enviaron cien médicos y enfermeras a la guerra para trabajar en los hospitales de campaña de los aliados. Nunca se produjeron conflictos importantes lo suficientemente cerca de Cuba como para que el país se viera seriamente afectado por la guerra.

## La dictadura de Gerardo Machado

Menocal soltó su control del poder en 1920, cuando la población eligió con prontitud al presidente Alfredo Zayas. Zayas logró cumplir un mandato pacífico, aunque pidió prestado dinero a los Estados Unidos cuando la economía de Cuba sufrió después de que los precios del azúcar cayeran en picado de forma inesperada. El plan dio sus frutos; para cuando Gerardo Machado resultó elegido en 1925, la economía se había restablecido hasta el punto de que el nuevo y ambicioso presidente pudo poner en marcha una serie de proyectos en un intento de modernizar su país.

Machado había sido uno de los generales cubanos más jóvenes en servir en la guerra de la Independencia. Después de su elección, prometió servir solo por un periodo, pero para 1927, estaba enmendando la constitución para poder ser reelegido. En 1928, fue elegido para un segundo mandato —de forma fraudulenta, como algunos sospechan— y su reinado de terror comenzó de verdad.

Un hombre de rostro suave, con el pelo pulcramente peinado hacia atrás y unos pequeños anteojos redondos, Machado logró sus sueños de mejorar la infraestructura de la isla mediante la construcción de la carretera central de 1.100 kilómetros y la ampliación de la Universidad de La Habana, pero hizo temblar de miedo a los ciudadanos cubanos por la violencia que lo rodeaba. El pueblo temía el arresto por encima de todo, ya que a muchos prisioneros se les hallaba muertos sin explicación. Aún más sensacionales fueron los numerosos atentados contra la vida de Machado. Uno de ellos fue el asesinato del presidente del Senado cubano y la posterior colocación de una bomba trampa en la cripta de su familia con la esperanza de que Machado asistiera al funeral y fuera volado en pedazos. Afortunadamente para Machado, la familia del muerto decidió enterrarlo en otro lugar.

La violencia policial fue común durante la presidencia de Machado. A medida que la economía se derrumbaba, sin la ayuda del desastre de Wall Street de 1929, el descontento de la gente crecía más y más y los levantamientos brotaban en toda la isla. La solución de Machado fue gobernar a su pueblo con miedo, permitiendo a sus policías aplastar brutalmente toda oposición. Pero esto no tendría éxito para siempre. En 1933, en previsión de los problemas, Estados Unidos intervino, depuso a Machado e instituyó un gobierno provisional con Carlos Manuel de Céspedes y Quesada —el hijo de ese Céspedes que había tocado la campana por primera vez y alzó su voz por la libertad hace décadas— como presidente.

### El ascenso de Batista

Fulgencio Batista estaba enfadado y se sentía como si siempre lo hubiera estado. Nacido de un padre que se negó a permitirle tomar el apellido de la familia, se había escapado de casa a los catorce años y se había construido una vida con un trabajo agotador y humillante. Como mulato, era un símbolo del crisol en el que se había convertido Cuba; su ascendencia incluía a los taínos que primero habían amado la isla, los españoles que la habían oprimido tan cruelmente, los africanos que habían sido esclavizados en ella, e incluso los chinos que habían sido trabajadores contratados allí mientras la esclavitud iba desapareciendo. Tenía veinte años cuando viajó a La Habana para unirse al ejército y encontrar una salida a su rabia contra el mundo.

En 1933 esa rabia alcanzó su punto máximo. Harto de la dictadura, Batista dirigió la Revuelta de los sargentos, un golpe militar en el que los sargentos del ejército de La Habana se levantaron contra sus oficiales y lograron derrocar al gobierno. Apoyados por los hombres bajo su mando, los sargentos derrocaron rápidamente sus cuarteles. Simpatizantes de otras partes de la isla se unieron para apoyarlos y pronto expulsaron a la mayoría de los oficiales del gobierno de La Habana. Solo dos días después de comenzar la revuelta, los sargentos reunieron una pentarquía —una nueva forma de gobierno presidida por cinco líderes— y declararon el control sobre el país.

Batista no se convirtió inmediatamente en presidente después de aquella revuelta. En su lugar, se instalaron una serie de presidentes de corta duración, pero todos ellos eran meras marionetas y Batista, como líder de las fuerzas armadas, sostenía firmemente las cuerdas. Solo Federico Laredo Brú logró cumplir un mandato completo de 1936 a 1940.

En 1940, Batista finalmente se presentó a la presidencia y salió elegido rápidamente. Estaba a punto de enfrentarse a un bautismo de fuego como presidente cubano: una guerra mundial había estallado una vez más.

Cuba entró en la Segunda Guerra Mundial poco después de los Estados Unidos y se unió a los aliados después del ataque a Pearl Harbor en 1941, lo que la convirtió en uno de los primeros países latinoamericanos en unirse a la guerra. Batista se enfrentó a la desalentadora tarea de reunir un ejército en su pequeña isla y tuvo éxito en la formación de una pequeña, pero eficiente, fuerza, lo que se demostró en 1942 cuando su pequeña armada se encontró frente a una de las fuerzas más temidas de la guerra: un submarino alemán.

## El hundimiento del *U-176*

El primer barco mercante cubano se hundió el 12 de agosto de 1942. *Manzanillo* y *Santiago de Cuba* estaban cargados con toneladas y toneladas de carga, pasando por los Cayos de la Florida en un viaje comercial, cuando un submarino alemán, el *U-508*, lanzó un ataque mortal contra ellos, que hundió ambos barcos y mató a treinta miembros de la tripulación. A esto le siguió rápidamente el hundimiento de otros cuatro barcos cubanos, que causó la pérdida de ochenta vidas y más de diez mil toneladas de carga. Dos de estos barcos fueron hundidos por un notorio submarino alemán: el *U-176*.

El 15 de mayo de 1943 vio a otros dos barcos mercantes acercarse a La Habana con temor. Uno era cubano, el otro hondureño, y ambos llevaban tripulaciones en alerta máxima. El hundimiento de los otros barcos aún estaba fresco en sus mentes y la presencia de un escuadrón de cazadores de submarinos para protegerse no ayudaba a disipar sus temores.

Mario Ramírez Delgado era el comandante del *CS-13*, el cazador de submarinos que llevaba la retaguardia del convoy. El *CS-13* era rápido y estaba bien armado, y Delgado mantuvo un ojo agudo en el sónar, deseoso de vengarse de los alemanes que habían acabado con tantas vidas cubanas. Y a las cinco y cuarto de la tarde, tendría su oportunidad.

Fue un avión americano el que avistó primero al *U-176*. Mientras volaba al suroeste, el avión vio al submarino cerca del convoy cubano y el piloto supo que debía dar una señal a los cazadores de submarinos para salvar a los barcos. Al descender en picado, hizo un círculo con su avión cerca de las olas, encendiendo y apagando el motor para dar una señal clara. El jefe de escuadrón entendió la señal inmediatamente y envió a Delgado a investigar. Delgado respondió con rapidez, empujando el *CS-13* a su mejor ritmo, con el operador del sónar intensamente concentrado en su equipo, tan sediento como su comandante estaba de sangre alemana. Fue en gran parte gracias a ese operador de sónar —un extraordinario hombre afrocubano llamado Norberto Collado, un hombre que provenía de un entorno pobre, pero que tenía un increíble oído para el sónar— que el ataque tuvo tanto éxito. Podía oír exactamente dónde estaba el submarino. Cuando un contacto positivo regresó, el *U-176* estaba a menos de media milla del cazador de submarinos. El *CS-13* pasó al submarino y comenzó a lanzar cargas de profundidad desde su popa, provocando una explosión tras otra. El agua de mar se esparció en poderosas columnas en el aire; el mar se agitó con explosiones apagadas que desgarraron el pacífico océano. La explosión más cercana estalló con una fuerza que arrojó agua en cascada sobre la popa del *CS-13*. Entonces, una flor negra de combustible se abrió en el agua con un brillo aceitoso en la superficie. Le habían dado al *U-176*, el cual se hundió, matando a toda su tripulación.

Cuando llegó a salvo a La Habana, Delgado llamó al presidente Batista para contarle lo del hundimiento. Aunque Batista felicitó al comandante por su victoria, este hecho se mantuvo en secreto hasta el final de la guerra, cuando a Delgado se le concedió la Medalla al Mérito. Esta acción fue alabada por los otros países aliados como un ejemplo de lo eficiente que era el pequeño ejército de Cuba.

### La era de Batista

Cuando la crisis de la Segunda Guerra Mundial terminó, Batista ya no estaba en el poder. Había perdido las elecciones presidenciales de 1944 frente a Ramón Grau San Martín, que llegó a gobernar una Cuba que estaba viviendo una ola de altos precios del azúcar y un turismo americano muy animado, lo que provocó que la prosperidad inundara el país. La paz, sin embargo, no iba con ello. La violencia urbana se disparó, las bandas se descontrolaron en las ciudades y los jefes de la mafia americana llegaron con los turistas, para abrir hoteles y casinos en La Habana. El crimen organizado floreció y la corrupción en el gobierno creció. Grau fue reemplazado por Carlos Prío Socarrás, aún más corrupto y cuya presidencia estuvo marcada por la violencia entre los partidos políticos.

Cuando las elecciones de 1952 se vieron sacudidas por el trágico suicidio de Eduardo Chibás, el líder del Partido Ortodoxo que pretendía luchar contra la corrupción, Batista vio su oportunidad de hacerse con el poder. Con otro golpe militar —mucho menos sangriento que la Revuelta de los sargentos— se instaló como presidente y el pueblo lo aceptó de alguna manera. Esto fue un error. Batista se hizo famoso por iniciar una era de crimen, corrupción y violencia en Cuba, particularmente en La Habana. Mientras que la economía estaba en pleno auge, los que se estaban enriqueciendo eran los ricos, famosos y corruptos; sin embargo, la clase obrera sufría. Gran parte de la riqueza de Cuba se dirigía a los Estados Unidos mientras Batista continuaba fortaleciendo su alianza con este país. Criminales y policías violentos aterrorizaban por igual al ciudadano medio. Mientras los gángsters y las estrellas de cine se mezclaban en la extravagante vida nocturna de La Habana, el desempleo se extendía entre los ciudadanos corrientes y los jóvenes recién salidos de la universidad no podían encontrar trabajo. El pueblo estaba cada vez más descontento, ya que Batista y sus amigos mafiosos —entre ellos Meyer Lanksy— vivían en el regazo del lujo mientras la gente común sufría.

Había llegado el momento para otra revolución. Esta duraría seis años y su impacto se mantendría durante décadas, proporcionando a Cuba estabilidad por primera vez en siglos. El tiempo de Fidel Castro estaba a punto de llegar.

# Capítulo 8. Un nuevo líder

*Ilustración 3: Che Guevara (izquierda) y Fidel Castro (derecha)*

26 de julio de 1953. Esta fecha se convertiría en legendaria; el nombre del último movimiento revolucionario en la larga historia de la rebelión de Cuba, el Movimiento 26 de Julio. Este día se vio como un

grito de batalla para los oprimidos, un faro para aquellos que buscaban el cambio, una espina en el costado de la autoridad, y finalmente —en décadas por venir— una fiesta nacional. Pero ahora mismo, era solo una mañana de verano en la provincia de Oriente, el día después del Festival de Santiago, cuando la mayoría de los habitantes de Santiago todavía dormían después de una noche salvaje. Incluso los soldados del Cuartel Moncada estaban con resaca o todavía un poco borrachos cuando amaneció a las 6 de la mañana: o al menos, eso esperaban los rebeldes. El plan de Fidel Castro dependía de ello.

El plan no iba tan bien. Cuando los rebeldes llegaron a la pequeña granja que Castro había alquilado cerca de los cuarteles, todo lo que podía haber salido mal había salido mal. Castro se vio obligado a tragarse su irritación mientras les suministraba uniformes y armas de su escondite en la granja y les informaba de lo que estaban a punto de hacer. En pocas palabras, el convoy de diecisiete autos debía ir al cuartel Moncada mientras los soldados dormían y, con el objetivo de mantener la lucha lo menos sangrienta posible, tomar el cuartel. Con todas las armas que necesitaban, debían irse antes de que llegaran refuerzos de otros lugares. Estas armas iban a formar un ejército y este iba a iniciar una insurgencia que derrotaría al corrupto de Batista.

El ataque no había empezado bien. El plan era perfecto: los rebeldes viajarían a Santiago junto con la multitud que se congregaba para el feriado y después el convoy de autos recorrería la ciudad para recogerlos temprano por la mañana mientras todos dormían. Pero los neumáticos pinchados y los conductores perdidos les fastidiaban el plan, y Castro estaba tenso cuando salieron de la granja a las 4 de la mañana en tres divisiones. Una, la más grande y compuesta por los hombres más inexpertos, fue dirigida por Fidel hacia el cuartel; otra, que incluía a dos revolucionarias, se dirigió al Hospital Saturnino Lora; y la tercera, dirigida por el hermano de Fidel, Raúl, se dirigió hacia el Palacio de Justicia. En total, más de 150 soldados participaron en el ataque. El cuartel, por sí solo, tenía 400 soldados. El plan únicamente podría haber funcionado si todo salía bien, pero nada salió así.

El propio error de Castro llevó a la completa desintegración del plan. Estrelló su auto, al parecer contra la puerta del cuartel porque los soldados que la vigilaban se habían dado cuenta de lo que pasaba; el alboroto despertó a los soldados dentro del cuartel, sonó la alarma y comenzaron los disparos. La mitad de los rebeldes del primer auto murieron en segundos. Consternado, Castro no tuvo más remedio que ordenar la retirada y, mientras sus hombres se dispersaban, los soldados los persiguieron.

A muchos de los rebeldes los capturaron y luego los masacraron sin piedad, arrastrando sus cuerpos fuera de los cuarteles para que pareciera que los mataron en la lucha. Fidel Castro escapó brevemente al campo. Por suerte para él, el pueblo no se creyó la historia de Batista de cómo los prisioneros rebeldes habían sido asesinados; sabían que habían muerto en el acto. Para cuando Castro fue capturado, el fiasco se había hecho muy público. En un intento por recuperar parte de la confianza y el apoyo del público, Batista decidió mantener el juicio de Castro tan divulgado como el anterior para mostrar a la gente que el líder rebelde estaba siendo tratado «de una manera justa».

El plan resultaría muy contraproducente. A Castro no le habían vencido todavía.

### ¿Quién fue Fidel Castro?

Nacido en 1926 en la provincia de Oriente, Fidel Castro creció casi sin familia. Tenía solo seis años cuando fue enviado a vivir con su maestro, luego pasaba de un internado a otro hasta que finalmente aterrizó en la Universidad de La Habana, donde estudió derecho. Fue durante su estancia en La Habana cuando el joven Castro comenzó a interesarse por la política. Su primer papel de liderazgo fue como presidente de la Federación de Estudiantes Universitarios, donde inmediatamente comenzó a hablar en contra del régimen corrupto y violento, así como acerca de que Cuba se encontraba en el bolsillo del Tío Sam.

La violencia estudiantil estaba muy extendida en aquel momento, con una cultura de gángster que dominaba la universidad. En un intento de aplastarla, el presidente Grau convirtió a los líderes de las pandillas en oficiales de policía y Castro se vio obligado a armarse a sí mismo y a sus amigos para protegerse. Fue su primera prueba de una violencia que lo seguiría por el resto de su vida.

Castro era miembro del Partido del Pueblo Cubano cuando Eduardo Chibás se quitó la vida antes de las elecciones de 1952. Esto fue combustible para el fuego. Intentó por todos los medios legales y no violentos derrocar el régimen de Batista, pero todos fracasaron. En la mente de Castro, solo quedaba una opción: la revolución armada. Planeó el ataque del 26 de julio al Cuartel Moncada y el 16 de octubre de 1953 se encontró frente a las cámaras y al juez, llamado a defender sus acciones.

### La historia me absolverá

A Castro se le ofreció poca ayuda legal, pero eligió defenderse de todas formas, aprovechando su educación, pasión y carisma natural para hacer un discurso de cuatro horas que más tarde se conocería como «La historia me absolverá» y que se convirtió en el manifiesto político de la revolución. El intento de Batista de acallar a Castro en el juicio público fracasó de manera miserable y completa. En su lugar, Castro se catapultó a la imaginación pública como un héroe trágico. Sabía que no había manera de que pudiera ganar el juicio, pero no dejó que eso le frenara en lo más mínimo. En lugar de ser un lamentable intento de salir de una sentencia de prisión que Castro debía saber que era inevitable, convirtió su discurso en su primer discurso para un país que más tarde se convertiría en el suyo propio:

—¡Os advierto que acabo de empezar! —declaró Castro—. Si en vuestras almas queda un latido de amor a la patria, de amor a la humanidad, de amor a la justicia, escucharme con atención. Sé que me obligarán al silencio durante muchos años; sé que tratarán de ocultar la verdad por todos los medios posibles; sé que contra mí se alzará la conjura del olvido. Pero mi voz no se ahogará por eso: cobra fuerzas en mi pecho mientras más solo me siento y quiero darle en mi corazón todo el calor que le niegan las almas cobardes.

Terminó su discurso con un triunfo impertérrito que lo incrustó para siempre en la mente del ciudadano común:

—Condenadme, no importa —dijo. La historia me absolverá.

Y lo condenaron. Aunque absolvieron a 19 de los rebeldes gracias a su exitosa defensa, Batista no podía permitir que Castro quedara libre. Tanto él como su hermano Raúl fueron condenados a más de una década de prisión y enviados al presidio Modelo de la Isla de Pinos.

### Prisión y liberación

Castro y sus 25 compañeros se encontraron más o menos juntos en el presidio Modelo. Pasaron su tiempo de manera sabia; Castro consiguió que *La historia me absolverá* se publicara y se difundiera en Cuba durante su ausencia. Además, educó a sus compañeros y a sí mismo, al sumergirse en las obras marxistas que empezaron a empujarle cada vez más hacia el precipicio del comunismo total.

Mientras tanto, en 1954, Batista celebró otra serie de elecciones presidenciales. No eran más que una farsa para apaciguar a un pueblo que empezaba a darse cuenta de que estaba siendo gobernado por un dictador tiránico. No hubo oposición y Batista mantuvo el poder sin problemas, pero la jugada le costó algo. Los partidarios de Castro provocaron violentas protestas y presionaron fuertemente para que se concediera la amnistía a los prisioneros políticos de la Isla de Pinos. Al ver que la mayoría de su gente le odiaba y que necesitaba una buena publicidad, Batista aceptó, y Castro y los otros prisioneros fueron liberados en 1955.

## México y el Che Guevara

Al ser liberados, Fidel y Raúl Castro dejaron Cuba para ir a México. Batista, aliviado, debió sentirse seguro al saber que los alborotadores se habían ido, pero esto no podía estar más lejos de la realidad. Castro no había dejado Cuba en su corazón. Iba a volver y esta vez estaría listo para enfrentarse al poderío de los crueles ejércitos de Batista.

Fue en México donde Castro conoció a Ernesto Che Guevara, un hombre que se convertiría en el centro de la revolución que se avecinaba. Guevara era un joven argentino muy apuesto que había pasado un tiempo trabajando en la indescriptible pobreza y sufrimiento de toda América Latina como estudiante de medicina. Los horrores que había presenciado le habían roto el corazón y sentía que tenía que hacer algo —por muy drástico que fuera— para arreglar las cosas. Sus puntos de vista políticos marxistas-leninistas se alineaban con los de Castro y también creía que la revolución armada era la única solución a los problemas de América Latina. Los dos hombres decididos y entusiastas eran una fuerza a tener en cuenta y pronto prepararon un plan para volver a Cuba

A estas alturas, Castro ya tenía una banda de seguidores tanto en Cuba como en otros lugares. Fiel a la postura que había adoptado en Moncada, Castro había llamado a su revolución el Movimiento 26 de Julio, o M-26-7, y se mantuvo en contacto con los demás miembros del grupo mientras se encontraba en la Ciudad de México. Entrenando con Che, reunió a un pequeño grupo de revolucionarios que estaban dispuestos a atacar al régimen de Batista. Todo lo que necesitaban era un yate para llevarlos unos 2000 km a través del océano de vuelta a Cuba y, en 1956, encontraron justo lo que necesitaban: al *Granma*.

## Granma

El yate no se parecía mucho a ningún otro. Antonio Del Conde, propietario de una armería, la había comprado para un proyecto. Antes, el *Granma* fue un blanco de bombas para la Marina de los Estados Unidos, solo medía 18 metros de largo y casi todo en él necesitaba reemplazo.

Los hermanos Castro, Che Guevara y su pequeño ejército rebelde habían estado disfrutando de la hospitalidad ofrecida por Del Conde durante la mayor parte del año. Del Conde había ayudado a esconder y alimentar al creciente ejército por respeto a Castro, un hombre al que más tarde llamaría su hermano mayor, pero no tenía ni idea de que Castro le estaba siguiendo cuando se detuvo para inspeccionar su nuevo yate destrozado. En el momento en que Castro puso los ojos en el *Granma*, se enamoró y Del Conde no pudo decirle que no. En unas pocas semanas, Del Conde y los miembros del pequeño ejército de Castro restauraron el *Granma* e hicieron planes para emprender un viaje que era estúpido en el mejor de los casos y mortífero en el peor: el viaje desde México a la costa de Cuba cerca de las montañas de la Sierra Maestra. No está claro cómo sobrevivieron exactamente Castro y su ejército. Para empezar, la *Granma* solo estaba diseñada para diez personas; podía llevar treinta, en caso de necesidad. Castro la cargó con 82 personas. Esto significaba que se podía subir muy poca comida o combustible, solo el mínimo necesario para mantener a los hombres con vida. El tiempo era terrible y es probable que se hubiera hundido o estancado en aguas abiertas si no fuera por la excelente navegación y el manejo del timonel Norberto Collado, el mismo Collado que había ayudado a hundir al *U-176*. Mantuvo al *Granma* en un rumbo casi recto, una hazaña significativa con ese tiempo. Solo hicieron un desvío, cuando uno de los hombres cayó por la borda y Castro, arriesgando toda su revolución, dio la vuelta para encontrarlo.

Finalmente, el 2 de diciembre de 1956, tres días más tarde de lo esperado, *Granma* alcanzó su objetivo, estrellándose contra un manglar al amparo de la oscuridad. Los hombres solo tuvieron horas para entrar en la cubierta de las montañas antes de que los aviones de guerra de Batista los encontraran y los derribaran. Cubiertos de vómito y heces por el mareo, se sumergieron en el agua oscura, con sus armas sobre sus cabezas, y se adentraron en las montañas.

Su sufrimiento acababa de empezar. Al amanecer, se avistó al *Granma* abandonado y los aviones de Batista empezaron a disparar al azar en el bosque. Solo tres días después de la llegada del yate de Castro, el ejército de Batista encontró a los rebeldes. Se produjo un baño de sangre que le costó a los rebeldes más de lo que Castro había previsto. Cuando llegaron a la Sierra Maestra y los rebeldes comenzaron a encontrarse de nuevo, Castro se horrorizó al descubrir que la mayoría de sus hombres estaban muertos. Tan solo quedaban doce: Fidel, Raúl Castro y Guevara, así como dos mujeres rebeldes y otros pocos más. Se habían dispersado por completo durante los combates y solo se encontraron por medio de campesinos amigos que los acogieron, los alimentaron y los reunieron una vez más.

### Punto de ruptura para Batista

Mientras tanto, en marzo de 1957, se intentó otra revolución. Esta fue tan condenada y sangrienta como la de Castro, ya que una organización estudiantil intentó asesinar a Batista y fracasó horriblemente, al morir en la acera del Palacio Presidencial. Para más detalles, consulte el libro *Historia de La Habana: una guía fascinante de la historia de la capital de Cuba desde la llegada de Cristóbal Colón a Fidel Castro.* El ataque no dejó ninguna marca en Batista, pero sí horrorizó a los Estados Unidos, que finalmente sacaron a su embajador del país y le impusieron un embargo económico a Cuba. Castro aún no había terminado. Según todos los informes, le habían vencido dos veces, una en el Moncada y otra en las montañas; pero él se escondía en esas montañas, hacía crecer a su pequeño ejército, ganaba en inteligencia y convencía a los campesinos para que se unieran a él. La propia Cuba se estaba volviendo cada vez más agitada. Cuanto más descontento estaba el pueblo, más viciosos eran los métodos de Batista para controlarlo y más esto lo llevaba a soñar con la rebelión. Pronto, las fuerzas de Castro llegaron a ser lo suficientemente fuertes como para lanzar pequeños ataques contra los cuarteles secundarios. Asaltaron el ejército de Batista y, poco a poco, su determinación comenzó a dar sus frutos. A finales de 1957, Batista se vio obligado a darse cuenta de sus ataques y envió un ejército de 12.000 hombres para hacer frente al problema. Sorprendentemente, el ejército de Castro, con menos de 500 hombres, se las arregló para derrotarlos una y otra vez.

En agosto de 1958, la ofensiva de Batista había fracasado por completo; las montañas estaban bajo el control de Castro y su ejército se movía implacablemente hacia el centro de Cuba. Los hombres de Batista se encontraron a la defensiva, tratando de aferrarse a las ciudades mientras los rebeldes luchaban uno a uno contra ellos y reclamaban las ciudades para sí mismos. Cayó Guisa, luego las llanuras de Cauto en Oriente, luego Yagajuey el 30 de diciembre de 1958. Su camino estaba despejado hasta Santa Clara.

### La batalla de Santa Clara

El brazo del Che Guevara estaba en cabestrillo, pero no dejaba que eso lo frenara. Santa Clara estaba en su mira y podía saborear la victoria en el aire. Su sección del ejército rebelde tenía ya trescientos hombres y, mientras marchaban hacia Santa Clara, la multitud vitoreaba desde los lados del camino. Daban la bienvenida a un cambio del régimen de Batista y sabían que la lucha estaba casi terminada.

Sin embargo, había un último obstáculo. Al pie de la colina de Capiro, cerca de Santa Clara, un tren blindado —enviado por Batista en un intento de reforzar sus tropas allí— había establecido un puesto de mando. Estaba cargado de hombres y armas, y Guevara sabía que tomarlo sería una victoria decisiva que podría enviar a ese cobarde de Batista corriendo por su vida. El primer paso era atrapar el tren. Se apropió de unos tractores de una escuela de agricultura cercana para empezar a destruir las vías que conducen a La Habana. En pocas horas, el tren descarriló y sus oficiales salieron con las manos en alto, desesperados por no luchar contra estos rebeldes locos. Mientras negociaban, los soldados del gobierno comenzaron a deambular, charlando casualmente con los otros rebeldes. Se estaban cansando de luchar contra gente cuya causa parecía más justa que la suya. Al igual que los hombres que habían abandonado sus puestos en Camajuani el día anterior, ellos también ya estaban hartos de esta guerra. Con muy poca lucha, el tren blindado quedó en posesión de los rebeldes y los 350 hombres fueron hechos prisioneros de una manera bastante pacífica.

Santa Clara ya era casi suya. Al marchar triunfalmente hacia la ciudad, los rebeldes se enfrentaron a las tropas del gobierno que quedaban. El ejército estaba formado por casi 4.000 soldados con tanques y bombarderos, pero su lucha fue poco entusiasta y solo hubo una pérdida durante la batalla, aunque los rebeldes ejecutaron a dos de sus comandantes más tarde.

### La victoria

A la hora del almuerzo, el último día del año 1958, Che Guevara anunció por radio que Santa Clara se había rendido. Fue la gota que colmó el vaso para Batista. Incluso su propio ejército ya no estaba dispuesto a luchar por él y sabía que la guerra había terminado. Cuando amaneció el día de Año Nuevo de 1959, Batista no se encontraba en ninguna parte. Se había subido a un avión hacia la República Dominicana, para no volver a mostrar su cara en Cuba.

Después de un largo desfile de la victoria por toda la isla, rodeado de fieles multitudes que podían saborear los cambios que se avecinaban y esperaban que fuera para mejor, Fidel Castro llegó a La Habana el 8 de enero de 1959. Cuba le pertenecía al fin.

# Capítulo 9. La Cuba de Castro

Castro no pudo haber sido más diferente de Batista en su gobierno. Estaba decidido a proporcionar una vida mejor al cubano medio, pero a medida que su mandato se iba prolongando, se hizo cada vez más evidente que sus ideas estaban desacertadas, marcadas por una cierta paranoia que tal vez podría haberse esperado de un hombre que había sufrido tan dramáticamente y se había esforzado tanto por llegar a donde estaba cuando fue nombrado primer ministro en febrero de 1959.

### La Cuba comunista

Aunque al principio Castro negó cualquier afirmación de que Cuba se estaba convirtiendo en un estado socialista, se embarcó en un peligroso juego de Robin Hood. Instituyó reformas agrarias y comenzó a redistribuir la tierra a los pobres, quitándosela a los ricos y a todos los extranjeros, con lo que despojó a Cuba de cualquier ayuda americana. Los altos funcionarios públicos descubrieron que se les iba a pagar tan poco como la mitad de sus salarios anteriores, mientras que la paga aumentó y el alquiler se redujo a la mitad para los trabajadores de nivel inferior. Uno por uno, los hoteles y casinos propiedad de mafiosos e incluso de inocentes propietarios privados quedaron en manos del Estado.

Sin embargo, las noticias no eran del todo malas. Las intenciones de Castro en muchos sentidos parecían ser las adecuadas, ya que se centró en la salud y la educación. Se construyeron casas y carreteras, se mejoró el agua y la higiene, pero la libertad de expresión fue eliminada, y cualquier sentimiento anti-revolucionario era recibido con violencia. La CIA le declaró la guerra a Castro al ayudar a lanzar la lucha contra bandidos y otra violenta lucha desde la Sierra Maestra, las mismas montañas desde las que Castro había lanzado su revolución. Esta fue aplastada por la fuerza y el poder de fuego del ejército de Castro; mientras que él se encontró al mando de un gran número de personas y el poder era embriagador.

Todo esto tenía que financiarse de alguna manera. Repelido por la idea de pedir ayuda al Tío Sam después de ver a Batista tan aliado con los Estados Unidos, Castro se dirigió a la otra gran potencia del mundo: la Unión Soviética. La URSS, al igual que Cuba, era fuertemente marxista-leninista y apoyaba firmemente a los países en desarrollo. La Unión comenzó a verter fondos en Cuba, reconociendo la utilidad de este pequeño aliado justo al lado de los Estados Unidos.

Para 1960, la tensión entre los Estados Unidos y Cuba había aumentado a medida que Cuba se alineaba cada vez más con la Unión Soviética, con la que los Estados Unidos estaban en plena Guerra Fría. Los Estados Unidos impusieron embargos al comercio cubano, así como el cese de sus importaciones masivas de azúcar cubano. Castro nacionalizó rápidamente las plantaciones y refinerías de azúcar de propiedad estadounidense, así como las refinerías de la isla, cuando las empresas estadounidenses se negaron a refinar el petróleo obtenido de la URSS.

La explosión del barco americano *La Coubre* en el puerto de La Habana, una espantosa repetición de la explosión del *Maine* que había iniciado la guerra hispano-americana, fue la gota que colmó el vaso. El presidente Dwight D. Eisenhower ordenó a la CIA que derrocara al gobierno cubano por casi cualquier medio necesario.

## La invasión de bahía de Cochinos

En 1960, el presidente Eisenhower autorizó el plan de la CIA para invadir Cuba y derrocar a Castro. Se establecieron campos de entrenamiento en Guatemala y comenzó el reclutamiento, principalmente entre los exiliados cubanos anticastristas que vivían en Miami. Muchos de ellos habían formado parte del éxodo masivo de Cuba durante los días y semanas inmediatamente posteriores a la caída de Batista y todos tenían una cosa en común: querían que Castro se fuera.

En marzo de 1961, el presidente John F. Kennedy autorizó el ataque a Cuba. A pesar de su vociferante desagrado por todo el régimen de Batista y de que calificó a Castro como el mal que los Estados Unidos se habían creado para sí mismos, el presidente Kennedy reconoció la amenaza que representaba la isla. Sin embargo, con un sentimiento anti-guerra en todo el país, él quería hacer que la invasión pareciera que un grupo de exiliados anticastristas la habían planeado sin el apoyo de los Estados Unidos. Con este fin, la CIA pintó sus bombarderos para que se parecieran a los aviones de la fuerza aérea cubana antes de enviar el primer ataque aéreo el 15 de abril de 1961.

El ataque fue un terrible fracaso. Los aviones que la CIA estaba usando eran viejos bombarderos de la Segunda Guerra Mundial y, aunque intentaron bombardear los aeropuertos cubanos, fallaron, dejando a la fuerza aérea cubana prácticamente intacta. En lugar de incapacitar al toro, la CIA solo lo hizo enfurecer. Castro entró en acción y envió a 20.000 soldados al frente. Mientras tanto, la invasión por agua continuó a partir del 17 de abril, con las tropas de exiliados cubanos desembarcando en la zona pantanosa cerca de bahía de Cochinos. Estaban condenados desde el principio. Se habían tomado fotografías de los aviones y se hizo evidente que eran americanos; Kennedy retiró el apoyo aéreo y los 1400 invasores se enfrentaron a decenas de miles de cubanos enfadados, en gran parte solos. Mientras tanto, la fuerza aérea cubana siguió bombardeando a los invasores, destruyendo sus barcos y matando a muchas tropas.

Cuba también sufrió graves bajas, entre ellas la pérdida de casi todo un batallón a manos de los tanques estadounidenses. Pero cuando el 19 de abril amaneció húmedo y lluvioso en un campo de batalla inundado por desesperación, se hizo evidente que los invasores no podían esperar ganar. Kennedy finalmente envió ayuda en forma de seis aviones de combate, pero ni siquiera esto sirvió; llegaron tarde, estaban confundidos y, finalmente, fueron derribados por los cubanos.

Al final del día, la invasión fue aplastada. Miles de tropas estadounidenses fueron tomadas prisioneras por Castro, que solo fueron liberadas cuando Kennedy accedió a cambiar más de 50 millones de dólares en medicinas y comida para bebés.La invasión de bahía de Cochinos fue solo el comienzo de los problemas entre Cuba y los Estados Unidos. Una amenaza menos violenta, pero mucho más aterradora, estaba a punto de surgir. La Guerra Fría estaba en pleno apogeo.

### La Guerra Fría

Dos superpotencias surgieron de las cenizas de la Segunda Guerra Mundial: los Estados Unidos de América y sus aliados de la OTAN, y la Unión Soviética y sus estados satélites. Las potencias que habían colaborado para derribar a Hitler ahora se encontraban en un profundo desacuerdo. Por un lado, estaba la Unión Soviética marxista-leninista con sus formas comunistas; y por el otro, los Estados Unidos con su democracia y prensa libre. Ambas potencias encontraban amplias razones para ir a la guerra, pero la destrucción total de Nagasaki e Hiroshima había puesto de manifiesto el peligro de la bomba atómica y con ambos bandos equipados con armas nucleares, los resultados de una guerra a gran escala podrían ser catastróficos. La humanidad se había vuelto lo suficientemente poderosa como para diseñar su propia destrucción. Si la Guerra Fría hubiera estallado en una guerra nuclear total, podría haber tenido implicaciones apocalípticas.

En cambio, la tensión hervía a fuego lento en guerras de poder como la de Vietnam. Y mientras millones de dólares de la Unión Soviética se vertían en la creciente Cuba, se hizo muy evidente de qué lado estaba Castro. Cuba ya no era una semi-colonia de los Estados Unidos, sino su pequeño y peligroso enemigo cercano. Puede que todavía estuviera en el bolsillo del Tío Sam, pero ahora ya no era una cartera de dinero. Era una granada de mano y la Guerra Fría amenazaba con tirar de la anilla.

### La crisis de los misiles de Cuba

Menos de dos años después de la invasión de la bahía de Cochinos, la tensión entre los Estados Unidos y Cuba llegó a su punto máximo en una crisis que aterrorizaría a todo el país durante unos días.

Después de la invasión, Castro se reunió con Nikita Jruschov, el líder de la Unión Soviética, para pedirle apoyo contra los Estados Unidos. Sabía que la invasión era solo una pequeña muestra de lo que los Estados Unidos eran capaces de hacer y quería que su poderoso aliado lo respaldara. Jruschov estuvo de acuerdo y se construyeron instalaciones de lanzamiento nuclear en toda Cuba, a solo unos 145 kilómetros de Florida. Dado que algunas armas nucleares tenían un alcance de miles de kilómetros, esto era una amenaza directa y aterradora para los Estados Unidos.

El 15 de octubre de 1962, se le informó al presidente Kennedy de las fotografías que los aviones americanos habían tomado de las instalaciones de lanzamiento nuclear en Cuba. Kennedy eligió establecer un bloqueo naval, impidiendo que cualquier barco que transportara cualquier tipo de armas entrara en Cuba. Las tensiones se intensificaron durante los siguientes trece días. A pesar de no poder hacer llegar armas a Cuba, la Unión Soviética seguía enviando otros buques de carga durante el bloqueo y la construcción de las instalaciones de lanzamiento continuaba sin cesar; los Estados Unidos respondieron con el inicio de la carga de armas nucleares en aviones como preparación para una guerra contra la Unión Soviética. Castro estaba seguro de que otra invasión estadounidense a Cuba era inminente y pidió a Jruschov que atacara primero a los Estados Unidos, aunque sabía que una guerra nuclear con los Estados Unidos les habría costado la vida a todos los cubanos.

La crisis de los misiles de Cuba constituye el momento más cercano en el que la Guerra Fría estuvo a punto de estallar en una verdadera guerra mundial, que habría provocado millones —si no miles de millones— de muertes. Sin embargo, tanto los Estados Unidos como la Unión Soviética siguieron buscando una solución diplomática. Finalmente, se acordó que los Estados Unidos retiraran sus misiles de Italia y Turquía, mientras que la Unión Soviética retiraría sus misiles —que llegaron a ser 192— de Cuba. La URSS retiró algunos de sus misiles cubanos, pero dejó los cohetes estratégicos en su lugar, lo que los estadounidenses desconocían en ese momento. Sin embargo, no se disparó ninguno de los misiles cubanos. Se evitó el desastre; se evitó la aniquilación de un tercio de la raza humana por los pelos y el mundo exhaló de forma colectiva.

### El fin de la Guerra Fría

La Guerra Fría solo llegó a su fin cuando la Unión Soviética finalmente se derrumbó en 1991. El mundo entero había experimentado una tensión latente durante casi medio siglo, pero de alguna manera se evitó una guerra nuclear. Se perdieron miles de vidas en las guerras por poder en Vietnam, el Congo y otras zonas, pero el mundo finalmente logró la paz cuando cayó el Muro de Berlín y la Unión Soviética se dividió en diferentes países, que gradualmente dejaron el modelo comunista.

Cuba era uno de los pocos países que se seguía aferrando al socialismo. Y mientras su poderoso aliado se desmoronaba, la isla comenzó a experimentar algunos de sus tiempos más duros. Con los Estados Unidos todavía distanciados de ellos y la Unión Soviética desaparecida, por primera vez desde que fue descubierta por España, Cuba estaba ahora realmente sola. Y la verdadera independencia le costaría muy cara.

# Capítulo 10. Tiempos desesperados

*Ilustración 4: Transporte a caballo en Varadero, 1994; el combustible era tan caro que muchos cubanos se vieron obligados a utilizar animales de carga para el transporte.*

Estados Unidos no fue el único país que se vio perjudicado como resultado de las decisiones tomadas por Fidel Castro durante su gobierno. La propia Cuba también sufrió considerablemente. En 1965, Cuba era oficialmente un país comunista, lo que significaba que la mayoría de las empresas de propiedad privada, incluso las de los propios cubanos, habían sido nacionalizadas. Castro comenzó inmediatamente a dar forma al país que acababa de conquistar para que fuera exactamente lo que él quería. Cualquiera que se atreviera a hablar en contra de la revolución que él había orquestado o que se desviara de sus ideales sociales, corría el riesgo de ser encarcelado. Esto incluía a toda la comunidad de homosexuales, así como a cristianos, objetores de conciencia u opositores políticos a Castro. A todos estos grupos se les enviaba a campos llamados Unidades Militares de Ayuda a la Producción (UMAP). Allí eran obligados a trabajar, y a los homosexuales se les sometía a una «reeducación». Miles de disidentes fueron brutalmente encarcelados, a veces torturados, e incluso ejecutados. Mientras la vida mejoraba para los pobres, cualquiera que se atreviera a enfrentarse a Castro lo encontraba rápidamente tan brutal como lo había sido Batista. Como resultado, alrededor de 1,2 millones de cubanos huyeron del país, exiliándose en los Estados Unidos. Los cubano-americanos constituyen una parte importante de la población en zonas del sur de los Estados Unidos como resultado de ello.

Los intentos bienintencionados de Castro por mejorar la salud, la educación y la infraestructura a costa de industrias más rentables también supusieron un problema para la economía cubana. En la década de 1970, Cuba estaba sufriendo, tal vez porque Castro también estaba vertiendo recursos en otros países en desarrollo mientras su propio país intentaba desarrollarse. Decenas de miles de tropas fueron enviadas al extranjero para luchar en apoyo de otros grupos marxistas-leninistas.

### La guerra civil angoleña

El más importante de estos conflictos fue la guerra civil angoleña. En 1975, el Movimiento de las Fuerzas Armadas —un grupo de personas de varios países africanos— derrocó al primer ministro portugués, liberando a varios países de la colonización portuguesa en un golpe casi no violento. Pero para Angola, este no fue el final de la lucha. En su lugar, se vería envuelta en una turbulenta guerra civil que duraría casi tres décadas.

Esta guerra se libró en gran parte entre los tres grupos rebeldes que habían ayudado a aflojar el control de los portugueses sobre sus países. El primero, Frente Nacional para la Liberación de Angola (FNLA), apoyó el renacimiento del antiguo imperio del Congo. UNITA (Unión Nacional para la Independencia Total de Angola) quería que Angola fuera completamente independiente. Por último, estaba el Movimiento Popular de Liberación de Angola (MPLA), una organización marxista-leninista (aunque más tarde se pasó a la democracia). Las tres facciones habían trabajado juntas para expulsar a los portugueses de su país, pero ahora se enfrentaban entre sí y empezaban a destrozar su país rico en minerales en una guerra horrible y prolongada.

### La participación de Cuba

Al ver que el MPLA se encontraba en apuros, Castro movilizó decenas de miles de sus tropas y las envió a Angola para luchar en el mismo continente donde una vez sus antepasados se compraban, vendían y secuestraban unos a los otros. Esta vez, negros, blancos y mulatos se unieron para hacer avanzar las ideologías de Cuba en apoyo al MPLA.

Comenzó en los años 60 cuando Che Guevara ayudó a entrenar a algunos de los soldados del MPLA en la guerra de guerrillas en la que los cubanos habían demostrado ser tan hábiles. Cuando la tensión en el país empezó a dispararse y amenazó con convertirse en una guerra, Angola se acercó a Castro, pidiéndole su ayuda una vez más:

necesitaban instructores para enseñar a sus inexpertas fuerzas cómo ellos también podían ganar una guerra de guerrillas contra un gran número de personas. Castro se vio obligado a enviar cinco veces la cantidad de ayuda que el MPLA había pedido.

A finales de 1975, la mayor potencia del continente africano de la época —Sudáfrica— se dio cuenta de que la situación en Angola podía ponerse fea y que podía extenderse a Sudáfrica. Miles de tropas fueron enviadas a invadir Angola en apoyo de UNITA, luchando explícitamente contra el MPLA. Algunos de los instructores de Castro fueron asesinados y él sabía que tenía que hacer algo. Por lo tanto, envió 36.000 soldados equipados con armas de la URSS a Angola para apoyar al MPLA.

Sin embargo, la oposición de Castro a Sudáfrica iba más allá de apoyar a una organización marxista-leninista. En ese momento, Sudáfrica estaba envuelta en el apartheid, una segregación brutal de sus muchas razas que dejó una fea mancha en la historia de ese país. Puede que las relaciones raciales en Cuba siguieran siendo difíciles en esa época, pero Castro fue especialmente franco en su opinión sobre la raza, decía que todos los cubanos eran cubanos independientemente de su color de piel. Por lo tanto, su ejército mixto debía luchar contra el claramente dividido ejército sudafricano. Y lo envió en enormes cantidades; en su apogeo, el ejército cubano en Angola llegó a tener hasta unos 50.000 hombres.

Finalmente, durante la Batalla de Cuito Cuanavale —una prolongada lucha que duró varios meses— Sudáfrica y Cuba llegaron a un punto muerto. El Acuerdo Tripartito, que ordenaba la retirada de las tropas sudafricanas y cubanas de Angola, se firmó en Nueva York el 22 de diciembre de 1988. La guerra de Angola había terminado para Cuba, pero para Angola se desataría de nuevo y continuaría hasta que finalmente el líder de UNITA, Jonas Savimbi, fuera asesinado y se lograra la paz en 2002.

### Participación de Cuba en otros conflictos del tercer mundo

Angola no era el único escenario de la guerra que Castro estaba librando contra la democracia y el capitalismo. También apoyó los esfuerzos de Argelia por liberarse de Francia, incluida su guerra fronteriza con Marruecos; la Rebelión de Simba del Congo; e incluso respaldó al cruel y brutal régimen de Mengistu Haile Mariam, un dictador de Etiopía famoso por el genocidio y los crímenes contra la humanidad durante una época sangrienta conocida como el Terror Rojo Etíope. Se estima que este período de agitación política mató hasta medio millón de personas. Castro apoyó a este horrible dictador simplemente porque, al igual que Castro, era marxista-leninista.

La participación de Cuba en África fue acogida con profunda gratitud por sus beneficiarios, pero para los propios cubanos supuso un desastre. Y cuando la Unión Soviética se derrumbó después de la Guerra Fría, se hizo evidente que, sin su poderoso aliado, la economía de Cuba estaba a punto de desmoronarse por completo. La isla estaba a punto de entrar en una era de aislamiento, pobreza y hambruna como nunca antes se había visto.

### El período especial de Cuba

Cuando el comunismo se derrumbó en Europa del Este y la Unión Soviética llegó a su fin, Castro se encontró de repente sin amigos en Moscú. Mientras se aferraba obstinadamente a sus puntos de vista marxistas-leninistas, Rusia se alejaba del comunismo y se acercaba a algo más cercano a la democracia liberal. Castro se negó a cambiar y Rusia se negó a apoyarlo. Poco a poco, fue retirando su ayuda, empezando por el apoyo a los militares cubanos. La URSS prácticamente había financiado la participación de Cuba en las guerras civiles africanas; ahora, de repente, Cuba se encontraba sin ayuda y terriblemente sola. El ejército estaba debilitado y esto era solo el principio.

El comercio también sufrió de manera dramática. Con los embargos americanos a los productos cubanos, los exportadores del país se vieron obligados a comerciar con sus productos en lugares más lejanos y el bloque socialista de Europa del Este fue el ideal receptor de un 85 % del comercio de Cuba. La isla también había sido capaz de importar productos esenciales como el petróleo crudo y ahora ese comercio se estaba hundiendo. Cuba era incapaz de vender lo que tenía ni de comprar lo que necesitaba. Esto fue tan catastrófico para la economía como lo fue la instalación de embargos comerciales americanos, excepto que esta vez, no quedaba nadie más a quien acudir. Cuba no tenía aliados y no podía pedir ayuda a nadie. El mercado solo empeoró las cosas, ya que el precio del petróleo subió y el precio del azúcar, el gran tesoro de Cuba, empezó a caer. Los Estados Unidos comenzaron a endurecer sus embargos, al reconocer la oportunidad de vengarse de su enemigo cercano. Si los estadounidenses no podían vencer a los cubanos, entonces los mataban de hambre.

A principios de los años 90, Cuba estaba en problemas graves. Los alimentos eran tan escasos que el gobierno tenía que racionarlos, a menudo de manera ineficiente; a veces las familias recibían solo la mitad de los alimentos que necesitaban para pasar el mes. La nutrición era tan pobre que las deficiencias de nutrientes alcanzaban proporciones epidémicas y el petróleo era tan escaso que la gente recurría a las antiguas formas de transporte para combatir los precios astronómicos del combustible. Los caballos y las bicicletas comenzaron a llenar las calles de La Habana una vez más. El ganado, sin embargo, era difícil de mantener teniendo en cuenta que la mayor parte de los alimentos para animales de Cuba habían sido importados. La terquedad de Castro le estaba costando a su pueblo su bienestar.

Casi todas las necesidades básicas de la isla estaban comprometidas. La electricidad se cortaba. El transporte público se redujo casi a la mitad. Miles de asmáticos se encontraban sin medicamentos y morían cuando unos cuantos soplidos en un inhalador podrían haberlos salvado. Las fábricas cerraban, se perdían miles de puestos de trabajo y los campos de caña de azúcar —que durante tanto tiempo habían sido la columna vertebral de la economía cubana y el tesoro de la isla— se araban y se utilizaban para cultivar frutas y verduras para un pueblo hambriento.

La situación empeoró hasta el punto de que el número de abortos era casi igual al número de nacimientos. Incluso algunas personas desesperadas por alimentar a sus hambrientas familias mataban sus mascotas o los animales del zoológico de La Habana para comérselos.

El gobierno de Castro utilizó subsidios en un intento desesperado de ayudar a algunos de sus ciudadanos, pero incluso el gobierno estaba luchando por sobrevivir. Finalmente, en 1993, Castro tuvo que renunciar a su orgullo o ver a su país morir de hambre. Empezó a aceptar algunas donaciones de los Estados Unidos. Castro también tuvo que empezar a cooperar con otros países, incluso si no estaba de acuerdo con sus regímenes. Empezó a abrir su país a los turistas de otros países sudamericanos y, finalmente, incluso a los turistas de los Estados Unidos.

El turismo fue, en última instancia, la salvación de Cuba. Durante tanto tiempo, esta joya del Caribe había sido un placer prohibido para los americanos. Esta vez, llenos de fascinación por este país que casi los destruye, los ciudadanos estadounidenses comenzaron a llegar en masa a La Habana y a otros lugares de interés. Hacia el año 1995, el turismo era un contribuyente más importante a la economía de Cuba que el azúcar. A pesar del hecho de que Castro estaba llamando a los Estados Unidos el principal culpable del calentamiento global —al aprovechar el hecho de que la falta de combustibles fósiles había causado que Cuba fuera respetuosa con el medio ambiente— su relación con los Estados Unidos comenzó a mejorar hasta el punto de que ofreció los aeropuertos cubanos como desvíos seguros para los aviones estadounidenses después de los horribles ataques del 11 de septiembre de 2001.

Las alianzas con Venezuela y una nueva alianza con Rusia a partir del año 2000 finalmente comenzaron a sacar a Cuba de su horrible declive. El período especial llegó a su fin a principios de la década del año 2000. El final del otro período también estaba cerca. Fidel Castro estaba a punto de ser derrotado por primera vez desde la Revolución cubana, esta vez por su propio cuerpo.

# Capítulo 11. Un nuevo horizonte

Fidel Castro estaba muy enfermo.

El héroe de la Revolución cubana tenía ahora ochenta años y su barba, antes negra como el carbón, se iba haciendo más fina y gris con la edad. Sus intensos ojos miraban ahora al mundo desde un profundo marco de arrugas y comenzaban a sentir la tensión de más de cuarenta años de gobierno de su país.

Corría el año 2006 y Castro tuvo que ser operado por una misteriosa hemorragia en algún lugar de sus intestinos. Quería creer que volvería a la presidencia. Quería creer que después de la operación se dirigiría de nuevo a decenas de miles de cubanos algún día, como lo había hecho en La Habana poco después de haber desfilado por las calles con su gente animada, recién salida de las últimas batallas de la Revolución cubana. Pero Castro sabía, en verdad, que este era el final de su trayectoria. Con Che Guevara ejecutado sin juicio por la CIA mientras intentaba iniciar otra revolución, esta en Bolivia, Fidel Castro solo podía pensar en un hombre a quien le confiaría su amada, desgarrada y maltratada Cuba. Este hombre era su hermano, Raúl. Raúl había estado con él en cada paso de la Revolución cubana; habían lanzado juntos el Movimiento 26 de Julio, fueron encarcelados juntos, huyeron juntos a México, sobrevivieron juntos a ese terrible viaje en el *Granma*, lucharon juntos en las montañas y gobernaron juntos durante los turbulentos años que siguieron. Raúl era reacio a tomar el cargo de presidente en funciones. Tal vez no quería creer que su hermano mayor se estaba acercando a sus años crepusculares; tal vez se sentía intimidado por tener que ponerse en los zapatos de una personalidad tan grande —aunque controvertida y, a veces, cruel— como la de Fidel. De todas formas, finalmente aceptó hacerlo.

Durante dos años, Raúl fue presidente en funciones; Fidel seguía participando en muchas decisiones, dependiendo de su salud fluctuante. Sin embargo, para 2008, Fidel finalmente tuvo que aceptar el hecho de que nunca más estaría lo suficientemente sano para ser presidente de Cuba. Después de cuarenta y ocho años de gobierno, por fin renunció. Raúl fue nombrado presidente de Cuba.

Ocho años más tarde, Fidel Castro finalmente murió a la edad de los noventa años. A Raúl se le dejó gobernar el país solo por primera vez. Debió sentir profundamente la pérdida de Fidel, pero, bajo su presidencia, Cuba comenzó a recuperar lentamente la estabilidad. Fue con Raúl Castro como presidente, cuando Cuba y los Estados Unidos por fin empezaron a mejorar sus relaciones.

## El deshielo cubano

Mientras que la economía de Venezuela caía en picado, Cuba se encontraba una vez más sin un aliado y Raúl Castro sabía que si no hacía planes para mejorar las relaciones comerciales en otros lugares, su maltrecho país podría enfrentarse a otro período especial. Reconoció que los Estados Unidos ofrecían una oportunidad significativa para crear más ingresos por el turismo. Teniendo en cuenta la proximidad de Cuba a los Estados Unidos, podría proporcionar unas vacaciones mucho más baratas y convenientes que muchos de los otros destinos tropicales. De hecho, Cuba estaba mucho más cerca del territorio continental de los Estados Unidos que otro de los destinos turísticos más populares de ese país: Hawái. Hawái se encuentra a más de tres mil kilómetros de prácticamente cualquier lugar y es una de las islas más aisladas del planeta; Cuba, por el contrario, está a menos ciento cincuenta kilómetros de Florida.

Mientras Estados Unidos nombraba a su primer presidente negro, Raúl Castro hizo planes para acercarse a este hombre de una manera pacífica, para negociar unas relaciones normales entre Cuba y los Estados Unidos. El papa Francis y Canadá ayudaron a facilitar las reuniones secretas a principios del 2010. En diciembre de 2014, el presidente Barack Obama anunció públicamente que él y Raúl Castro iban a dar pasos hacia la cooperación mutua entre sus dos países. El primer paso oficial se dio a principios del año 2015, cuando el presidente Obama propuso eliminar a Cuba de una lista de Estados patrocinadores del terrorismo, que también incluye a Sudán, Siria e Irán. La idea no tuvo ninguna oposición por parte del Congreso y desde ese punto de partida, las relaciones mejoraron rápidamente durante el año siguiente. La embajada estadounidense en La Habana y la embajada cubana en Washington se reabrieron. El turismo estadounidense a Cuba aumentó, con miles de personas que acudieron en masa a disfrutar de este paraíso tropical justo en su puerta. Las restricciones para viajar se aflojaron; por primera vez, las líneas aéreas comerciales comenzaron a volar a Cuba, e incluso los cruceros comenzaron a viajar de Miami a La Habana por primera vez en cincuenta años. El servicio postal entre los EE. UU. y Cuba también se reanudó finalmente, después de casi medio siglo.

Ningún presidente estadounidense había visitado Cuba desde 1928, incluso antes de Batista. Pero el presidente Barack Obama estaba decidido a cambiar esto.

### El presidente Obama visita La Habana

Obama y Castro se dieron la mano por primera vez en el funeral del mismo defensor de la paz que había llevado al fin el apartheid que Fidel Castro había encontrado tan repulsivo durante la guerra civil angoleña: del expresidente sudafricano Nelson Mandela. El gesto fue un símbolo de lo que vendría a continuación. Décadas después de que terminara oficialmente, el capítulo de la historia de la Guerra Fría estaba finalmente llegando a su fin.

Terminaría finalmente en mayo de 2016, cuando Obama dio un paso audaz digno de los libros de historia. Ochenta y ocho años después de que Calvin Coolidge visitara Cuba, un presidente americano iba a pisar La Habana. Y no fue solo Obama quien hizo el viaje. Fue acompañado por toda su familia, así como por una delegación de más de mil americanos prominentes. Recorrieron La Habana bajo una lluvia torrencial y con un gran ánimo. Mientras algunos cubanos se oponían a la visita de Obama, esta se desarrolló sin problemas.

Obama esperaba que su visita hiciera irreversible la reconciliación entre los dos países. Mientras las banderas estadounidenses ondeaban en las calles de La Habana, la esperanza se extendía por todo el mundo. La visita de Obama no fue solo un símbolo de acercamiento entre Cuba y los Estados Unidos. Era un símbolo de recuperación en todo el mundo, ya que la tierra por fin empezó a recuperarse de un siglo de conflictos y tensiones globales. Los archienemigos de todo el mundo estaban empezando a darse la mano. Las guerras mundiales y la Guerra Fría parecían haber terminado al fin.

Y mientras Cuba seguía siendo uno de los últimos estados socialistas del mundo, finalmente se respetaban las diferencias. La cooperación en lugar de la guerra se estaba usando para facilitar el cambio. Trajo esperanza al mundo, pero aún está por verse si esa esperanza será falsa o no.

# Conclusión

*Ilustración 5: Esta foto muestra la diversidad racial mientras un grupo de personas camina por una calle en la majestuosa, pero decrépita, ciudad de La Habana*

Hoy en día, los turistas estadounidenses deambulan por La Habana, asombrados por los atractivos de esta capital sin prisas. Los trabajadores de la UNESCO examinan cuidadosamente los antiguos edificios, pelando años de abandono y suciedad para revelar los tesoros coloniales españoles que parecen estar casi intactos por el tiempo. Los vehículos estadounidenses anteriores a 1959, bellamente restaurados, ruedan tranquilamente por las calles. El país entero apesta a sus capas y capas de historia.

Cuba ha aguantado tanta agitación. Apenas ha habido un momento de paz en el país, desde las salvajes conquistas del siglo XVI hasta las amenazas nucleares de la Guerra Fría. Ahora, cuando el mundo empieza a hacer las paces consigo mismo, Cuba está finalmente experimentando algo parecido a la estabilidad. Esta pequeña isla que marcó una gran diferencia en la historia está empezando a tender la mano a las manos que se extienden para ayudarla. Sin embargo, todavía queda un indicio de obstinación —esa misma obstinación que le llevó a Hatuey a librar una batalla que no pudo ganar, que mantuvo a Luis Vicente de Velasco en la torre del Morro cuando La Habana cayó a manos de los británicos, que trajo a José Martí de vuelta a Cuba una y otra vez hasta que finalmente murió luchando por la independencia de su país, que ayudó a Fidel Castro a vencer a una fuerza más de cien veces mayor que la suya— un indicio de esa obstinación todavía permanece. Cuba sigue siendo comunista. Mientras que Estados Unidos ha retrocedido en gran medida, sin intentar forzar la democracia liberal en su obstinado vecino, la mayor parte del resto del mundo ya se ha alejado del modelo comunista. Cuba sigue aferrada, orgullosa, tenaz, intrépida y terca como siempre. Solo quedan cinco países comunistas, incluyendo China y Corea del Norte, pero Cuba nunca se ha amedrentado por ser superada en número. Obama esperaba que el descongelamiento de las relaciones entre Cuba y los Estados Unidos impulsara al país hacia lo que él creía que estaba más cerca de la libertad, pero se ha hablado poco o nada de un cambio real.

Sin embargo, la vida ha mejorado para el cubano medio. Más y más negocios son ahora de propiedad privada. Con la declaración de la Habana Vieja como Patrimonio de la Humanidad por la UNESCO, el turismo continúa llegando a la isla y la economía comienza a crecer de nuevo. El levantamiento de los embargos comerciales ha permitido a Cuba controlar su economía una vez más.

Raúl Castro, con 87 años de edad, renunció a la presidencia en 2018. Cincuenta y nueve años de gobierno de Castro llegaron a su fin y Miguel Díaz-Canel fue seleccionado por la Asamblea Nacional para servir en el lugar de Raúl. Aunque Díaz-Canel todavía gobierna un país comunista, nació en 1960, el año en el que Fidel Castro tomó el poder. Díaz-Canel no recuerda de primera mano cómo era la vida bajo Batista con Cuba siendo explotada por los Estados Unidos. Creció bajo Castro y tal vez sus ojos se les abran a las fallas de este heroico, pero profundamente defectuoso, líder. Se espera de él que continúe mejorando las relaciones con los Estados Unidos y que proceda con las reformas económicas establecidas por Raúl Castro, quien todavía es el primer secretario del partido comunista en el momento de escribir este libro.

Sin embargo, no se sabe con certeza si todavía será posible mejorar las relaciones. Después de que parte del personal de la embajada de los Estados Unidos cayera inexplicablemente enfermo, el presidente Donald Trump tomó represalias al deshacer parte de la reconciliación que Obama intentó. Las restricciones comerciales se reforzaron una vez más; ciertos hoteles y negocios —los que son propiedad de los militares cubanos— están ahora fuera del alcance de los turistas estadounidenses. La decisión de Trump fue ostensiblemente destinada a proteger al pueblo cubano debilitando al gobierno que lo oprime a través del comunismo. Sin embargo, en lugar de eso, el número de turistas estadounidenses que visitan la isla ha disminuido, perjudicando a los negocios propiedad de la misma gente que Trump espera ayudar.

Las esperanzas de reconciliación, que eran tan altas en 2016, se ven ahora un poco apagadas. Queda por ver si las acciones de Trump terminarán por provocar la desaparición de uno de los últimos regímenes comunistas que quedan en la Tierra.

Por ahora, Cuba sigue siendo ella misma; controvertida, a veces violenta, siempre bella, impregnada de historia, orgullosa de ser diferente del resto del mundo y esa diferencia le cuesta a su pueblo gran parte de su libertad. Es una isla casi sin Internet, un lugar que estuvo cerrado al resto del mundo durante medio siglo y ahora está empezando a darse cuenta de que hay un mundo ahí fuera que es muy diferente al de casa. Una cosa es segura: aunque quizás no en su economía, en su corazón, Cuba es verdaderamente independiente. Ha sido un largo viaje para llegar a este punto, un viaje impregnado de violencia, pero se puede decir con sinceridad que —por fin— Cuba es una isla no controlada por ninguna otra nación. Y una isla como ninguna otra nación.

Vea más libros escritos por
Captivating History

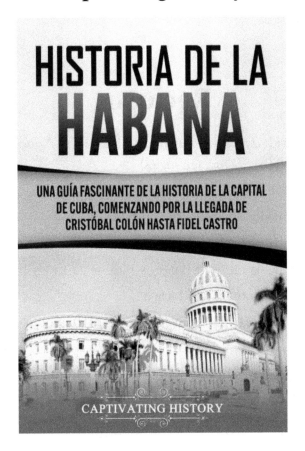

# Recursos

Turnbull, David. *Travels in the West: Cuba: With Notices of Porto Rico, and the Slave Trade.* (en inglés)

https://www.globalsecurity.org/military/world/cuba/indigenous.htm

https://en.wikipedia.org/wiki/Guanahatabey

http://www.historyofcuba.com/history/oriente/tainos.htm

https://en.wikipedia.org/wiki/Batey_%28game%29

https://en.wikipedia.org/wiki/Macana

http://georgiegirl120.tripod.com/puertorico/id10.html

https://en.wikipedia.org/wiki/Ciboney

http://www.historyguide.org/earlymod/columbus.html

https://en.wikipedia.org/wiki/Sebasti%C3%A1n_de_Ocampo

https://en.wikipedia.org/wiki/Voyages_of_Christopher_Columbus#First_voyage

http://www.cubanocuba.com/hatuey/

http://www.historyofcuba.com/history/oriente/hatuey.htm

https://en.wikipedia.org/wiki/Hatuey

https://en.historylapse.org/colonization-of-cuba#spanish-conquest

http://academic.udayton.edu/health/syllabi/tobacco/history.htm

http://www.sucrose.com/lhist.html

https://en.wikipedia.org/wiki/Middle_Passage

http://abolition.e2bn.org/slavery_44.html

http://www.discoveringbristol.org.uk/slavery/people-involved/enslaved-people/enslaved-africans/transatlantic-slave-trade/

https://www.sahistory.org.za/topic/atlantic-slave-trade

http://abolition.e2bn.org/slavery_44.html

http://www.afrocubaweb.com/eugenegodfried/diegobosch.htm

https://atlantablackstar.com/2015/02/05/10-things-you-didnt-know-about-the-enslavement-of-black-people-in-cuba/5/

http://www.countriesquest.com/caribbean/cuba/history/spanish_rule/sugar_and_slaves.htm

https://en.wikipedia.org/wiki/Slavery_in_Cuba

http://pirates.hegewisch.net/havana.html

http://thehistoryjunkie.com/piracy-in-the-caribbean/

https://en.wikipedia.org/wiki/Fran%C3%A7ois_le_Clerc

https://en.wikipedia.org/wiki/Castillo_de_San_Pedro_de_la_Roca

https://en.wikipedia.org/wiki/Christopher_Myngs

https://en.wikipedia.org/wiki/Robert_Jenkins_%28master_mariner%29

https://en.wikipedia.org/wiki/Invasion_of_Cuba_%281741%29

https://www.britannica.com/topic/Spanish-treasure-fleet

https://www.history.com/topics/france/seven-years-war

https://www.britannica.com/event/War-of-Jenkins-Ear

https://en.wikipedia.org/wiki/War_of_the_Austrian_Succession#The_West_Indies

https://en.wikipedia.org/wiki/Sir_Charles_Knowles,_1st_Baronet

http://www.vaguelyinteresting.co.uk/12-october-1748-battle-for-havana-in-the-war-of-jenkins-ear/

http://central.gutenberg.org/articles/battle_of_havana_%281748%29

http://www.1066.co.nz/Mosaic%20DVD/whoswho/text/Battle_of_Havana_1748[1].htm

https://en.wikipedia.org/wiki/Battle_of_Santiago_de_Cuba_%281748%29

https://en.wikipedia.org/wiki/Battle_of_Havana_%281748%29

https://en.wikipedia.org/wiki/David_Turnbull_%28abolitionist%29

https://en.wikipedia.org/wiki/Year_of_the_Lash

https://www.encyclopedia.com/humanities/encyclopedias-almanacs-transcripts-and-maps/la-escalera-conspiracy

https://muse.jhu.edu/article/655218

https://findery.com/heather/notes/october-10-1868-carlos-manuel-de-cspedes-made-the-grito-de-yara-cry-of-yara

https://en.wikipedia.org/wiki/Mambises

https://en.wikipedia.org/wiki/Francisco_Vicente_Aguilera

https://en.wikipedia.org/wiki/Carlos_Manuel_de_C%C3%A9spedes

http://www.cubahistory.org/en/the-fight-for-independence/ten-years-war-1868-1878.html

http://www.latinamericanstudies.org/1868/Ten_Years_War.pdf

https://en.wikipedia.org/wiki/Little_War_%28Cuba%29

http://www.historyofcuba.com/history/race/EndSlave.htm

https://www.biography.com/people/jos%C3%A9-mart%C3%AD-20703847

https://www.thoughtco.com/biography-of-jose-marti-2136381

https://bombmagazine.org/articles/two-poems-74/

https://www.britannica.com/event/Cuban-Independence-Movement?anchor=ref130197

https://www.encyclopedia.com/humanities/encyclopedias-almanacs-transcripts-and-maps/cuba-war-independence

http://www.cubahistory.org/en/the-fight-for-independence/independence-war-1895-1898.html

https://en.wikipedia.org/wiki/Battle_of_Santiago_de_Cuba

https://en.wikipedia.org/wiki/Manifesto_of_Montecristi

https://en.wikipedia.org/wiki/Spanish%E2%80%93American_War

https://en.wikipedia.org/wiki/Cuban_local_elections,_1900

http://histclo.com/country/la/cuba/hist/rep/chir-ww1.html

https://jfredmacdonald.com/worldwarone1914-1918/latinamerica-18cubas-part.html

https://en.wikipedia.org/wiki/Cuba_during_World_War_1

https://en.wikipedia.org/wiki/Gerardo_Machado

https://www.iww.org/history/library/Dolgoff/cuba/6

http://www.historyofcuba.com/history/batista.htm

https://en.wikipedia.org/wiki/Cuba_during_World_War_II

https://www.thoughtco.com/cuban-assault-on-the-moncada-barracks-2136362

http://www.lahabana.com/guide/july-26-1953-attack-moncada-barracks/

http://www.cubahistory.org/en/corruption-a-coups/attack-on-moncada-barracks.html

https://en.wikipedia.org/wiki/Republic_of_Cuba_%281902%E2%80%931959%29

http://www.bbc.co.uk/history/historic_figures/guevara_che.shtml

https://www.thevintagenews.com/2017/04/21/granma-yacht-the-vessel-which-brought-the-cuban-revolution-in-cuba/

https://www.passagemaker.com/trawler-news/granma-yacht-changed-history

https://en.wikipedia.org/wiki/Cuban_Revolution

https://en.wikipedia.org/wiki/Fulgencio_Batista

https://www.jfklibrary.org/JFK/JFK-in-History/The-Bay-of-Pigs.aspx

https://www.history.com/topics/cold-war/bay-of-pigs-invasion

https://en.wikipedia.org/wiki/Cuban_Missile_Crisis

https://en.wikipedia.org/wiki/Cold_War

http://www.historynet.com/cuban-fighters-angolas-civil-war.htm

https://www.sahistory.org.za/article/angolan-civil-war-1975-2002-brief-history

https://en.wikipedia.org/wiki/Special_Period

http://www.historyofcuba.com/history/havana/lperez2.htm

http://www.cubahistory.org/en/special-period-a-recovery.html

https://forgingsignificance.com/cuban-special-period/

https://en.wikipedia.org/wiki/Fidel_Castro

https://www.dw.com/en/obama-makes-history-with-havana-visit/a-19130225

https://www.bostonglobe.com/news/bigpicture/2016/03/24/president-obama-visit-cuba/DsPp60xmrgAPlVHjpjV6lM/story.html

https://www.theguardian.com/world/2016/mar/20/barack-obama-cuba-visit-us-politics-shift-public-opinion-diplomacy

https://www.bbc.com/news/world-latin-america-30524560

https://www.economist.com/graphic-detail/2016/03/18/cuban-thaw-a-history-of-us-cuban-relations

https://en.wikipedia.org/wiki/Cuban_thaw

https://en.wikipedia.org/wiki/History_of_Cuba

https://en.wikipedia.org/wiki/Miguel_D%C3%ADaz-Canel

http://theconversation.com/cubas-new-president-what-to-expect-of-miguel-diaz-canel-95187

https://www.thoughtco.com/communist-countries-overview-1435178

http://www.yourlanguageguide.com/life-in-cuba.html

https://www.independent.co.uk/news/world/americas/us-politics/trump-cuba-travel-restrictions-what-does-it-mean-obama-rollback-expert-explained-a7794226.html

https://www.miamiherald.com/news/nation-world/world/americas/cuba/article213209104.html

Printed in the USA
CPSIA information can be obtained
at www.ICGtesting.com
LVHW011944280923
759632LV00051B/19